Momento Mágico

NORA ROBERTS

Momento Mágico

Tradução
Alexandre Tuche

Rio de Janeiro, 2017

Título original: This Magic Moment

Copyright © 1983 by Nora Roberts

Direitos de edição da obra em língua portuguesa no Brasil adquiridos pela Casa dos Livros Editora LTDA. Todos os direitos reservados. Nenhuma parte desta obra pode ser apropriada e estocada em sistema de banco de dados ou processo similar, em qualquer forma ou meio, seja eletrônico, de fotocópia, gravação etc., sem a permissão do detentor do copyright.

Rua da Quitanda, 86, sala 218 – Centro – 20091-005
Rio de Janeiro – RJ – Brasil
Tel.: (21) 3175-1072

CIP-Brasil. Catalogação na Publicação
Sindicato Nacional dos Editores de Livros, RJ

R549m

    Roberts, Nora, 1950-
        Momento mágico / Nora Roberts; tradução Alexandre Tuche. – 1. ed. – Rio de Janeiro: HarperCollins, 2017.
        192 p. : il. ; 23 cm.

    Tradução de: This magic moment
    ISBN: 978-85-398-2371-0

    1. Romance americano. I. Tuche, Alexandre. II. Título.

17-39681   CDD: 813
                                 CDU: 821.111(73)-3

Capítulo 1

Ele a escolhera por causa da atmosfera. Ryan teve certeza disso no momento em que viu a casa no penhasco. Era cinza, solitária. Os fundos davam para o Pacífico. Não era uma estrutura simétrica, mas incoerente, com partes de alturas diferentes erguendo-se aqui e ali, dando-lhe um ar selvagem. No alto de uma estrada tortuosa no penhasco, tendo como pano de fundo um céu enfurecido, a casa era tanto magnífica quanto assustadora.

Parecia cenário de um filme antigo, concluiu Ryan, ao engatar a primeira para subir a estrada íngreme. Ela havia ouvido dizer que Pierce Atkins era excêntrico e a casa parecia confirmar isso.

Só precisa de um trovão, refletiu ela, um pouco de neblina e o uivo de um lobo; apenas alguns efeitos especiais. Divertindo-se com a ideia, ela parou o carro e olhou novamente a construção. Não se viam muitas casas como aquela a apenas duzentos e cinquenta quilômetros ao norte de Los Angeles. Aliás, não se viam muitas casas como aquela em lugar algum, corrigiu ela em silêncio.

No momento em que saiu do carro, o vento se chocou contra ela, agitando seu cabelo em volta do rosto e puxando sua saia. Ryan ficou tentada a ir até a muralha de proteção para olhar o mar, mas, em vez disso, subiu os degraus correndo. Não viera para admirar a vista.

A aldrava era velha e pesada. Fez um barulho impressionante quando batida contra a porta. Ryan disse a si mesma que não estava nem um pouco nervosa, mas passava a pasta de uma mão para a outra enquanto esperava. Seu pai ficaria furioso se ela fosse embora sem a assinatura de Pierce Atkins nos contratos que carregava.

Não, furioso não, corrigiu-se. Silencioso. Ninguém conseguia utilizar o silêncio de forma mais eficaz que Bennett Swan.

Não vou embora de mãos vazias, assegurou a si mesma. *Sei lidar com artistas profissionais. Passei anos observando como se faz e...*

Os pensamentos dela foram interrompidos quando a porta se abriu. Ryan ficou olhando e, então, apareceu o homem mais alto que já havia visto. Ele tinha pelo menos um metro e noventa, com ombros que quase ocupavam toda a largura da porta. E a fisionomia! Ryan decidiu que ele era, inquestionavelmente, o ser humano mais feio que já havia visto. O rosto dele era largo e pálido. O nariz tinha sido, sem dúvida, quebrado e remendado num ângulo estranho. Os olhos eram pequenos, um castanho desbotado que combinava com o cabelo grosso. A atmosfera, pensou Ryan mais uma vez. Atkins deve tê-la escolhido por causa da atmosfera.

— Boa tarde — conseguiu dizer ela. — Ryan Swan. O sr. Atkins está me esperando.

— Srta. Swan.

A voz lenta e profunda caía nele como uma luva. Quando o homem deu um passo para trás, Ryan relutou em entrar. Nuvens de tempestade, um mordomo corpulento e uma casa soturna num penhasco. *Ah, sim*, concluiu ela. *Atkins sabe como montar um cenário*.

Ryan entrou e, quando a porta se fechou, ela deu uma olhada rápida em volta.

— Espere aqui — disse o lacônico mordomo e caminhou pelo corredor com passos leves demais para um homem daquele tamanho.

— Claro, muito obrigada — respondeu para as costas do homem, pois ele já tinha se virado.

As paredes eram brancas e cobertas de tapeçaria. A mais próxima estava desbotada e mostrava uma cena medieval, que retratava o jovem Arthur retirando a espada da pedra, com Merlin, o mágico, em destaque ao fundo. Ryan assentiu. Era uma obra primorosa e adequada para um homem como Atkins. Ao se virar, ela olhou para a própria imagem num espelho de pé grande e ornamentado.

Ryan ficou incomodada ao ver que seu cabelo estava desarrumado. Estava ali representando a Swan Productions. Então, ajeitou as mechas louras soltas e úmidas. O verde de seus olhos tinha escurecido com um misto de ansiedade e excitação. Suas bochechas estavam coradas. Ela respirou fundo, ordenou que se acalmasse e endireitou a jaqueta.

Ao ouvir passos, virou-se rapidamente. Não queria ser pega olhando-se no espelho ou tentando fazer retoques de última hora. Era o mordomo, sozinho. Ryan reprimiu o aborrecimento.

— Ele a verá no andar de baixo.
— Ah.

Ryan abriu a boca para dizer algo, mas o mordomo já estava se retirando e ela teve de se esforçar para acompanhá-lo. O corredor fez uma curva para a direita. Os saltos de Ryan fizeram barulho no assoalho quando ela correu para alcançar o mordomo. Então, ele parou bruscamente e Ryan quase se chocou contra ele.

— Lá embaixo.

Ele abriu uma porta e se afastou.

— Mas...

Ryan franziu as sobrancelhas para ele e, em seguida, desceu os degraus pouco iluminados. *Isso é realmente ridículo*, pensou ela. *Uma reunião de negócios deveria ser conduzida num escritório, ou, pelo menos, num restaurante apropriado. Show business,* refletiu com desdém.

O som dos próprios passos ecoava a sua volta. Não havia barulho algum vindo do cômodo abaixo. *Ah, sim,* concluiu ela, *Atkins sabe como montar um cenário.* Ryan estava começando a sentir uma profunda aversão por ele. O coração dela martelava desconfortavelmente quando ela fez a última curva na escada.

O andar de baixo era enorme, um cômodo imenso com caixotes, baús e todo tipo de parafernália empilhada em volta. As paredes eram revestidas por painéis de madeira e o piso, ladrilhado, mas ninguém havia se importado com qualquer outra decoração. Ryan olhou em volta, franzindo as sobrancelhas enquanto descia o último degrau.

Atkins a analisou. Ele possuía os talentos de imobilidade absoluta e concentração total, que eram essenciais para seu trabalho. Além de ter a habilidade de formar uma opinião sobre uma pessoa rapidamente, o que também fazia parte de sua profissão. Ela era mais jovem do que havia esperado, uma mulher de aparência frágil, estatura baixa, compleição leve e de cabelo claro. O rosto dela era delicadamente moldado, com um queixo marcante.

Estava irritada, notou, e nem um pouco apreensiva. Um sorriso repuxou os lábios de Pierce. Mesmo depois de ela começar a andar pela sala, ele não se mexeu para ir a seu encontro. *Muito metódica*, pensou, em seu *tailleur* bem-cortado, sapatos discretos, pasta cara e mãos muito femininas. *Interessante*.

— Srta. Swan.

Ryan se sobressaltou e então xingou a si mesma. Virando na direção da voz, ela viu apenas sombras.

— Você é muito pontual.

Ele então se mexeu, e Ryan viu que ele estava num pequeno palco. Vestido de preto, misturava-se às sombras. Com esforço, ela afastou o aborrecimento da voz.

— Sr. Atkins. — Ryan andou na direção dele, oferecendo um sorriso artificial. — O senhor tem uma casa e tanto.

— Obrigado.

Ele não desceu do palco, permaneceu no mesmo lugar, e Ryan foi forçada a levantar o olhar até ele. Surpreendeu-se por Atkins ser mais dramático em pessoa do que nas filmagens. Normalmente, descobria que era o contrário. Tinha visto suas performances. Na verdade, quando o pai dela adoeceu e, relutantemente, passou Atkins para ela, Ryan ficou duas noites inteiras assistindo a todos os vídeos disponíveis sobre ele.

Dramático, decidiu ela, notando um rosto ossudo com uma cabeleira preta espessa e ondulada. Havia uma pequena cicatriz na linha do maxilar, e a boca era comprida e fina. As sobrancelhas eram arqueadas e tinham uma pequena inclinação para cima, nas extremidades. Mas foram os olhos que a atraíram. Ela nunca tinha visto olhos tão escuros, tão profundos. Eram cinza? Pretos? No entanto, não era a cor que a desconcertava, mas a concentração absoluta. Sentiu a garganta ressecar e engoliu em seco em sinal de defesa. Podia quase acreditar que ele estava lendo sua mente.

Pierce Atkins tinha sido chamado de o maior mágico da década, alguns diziam que era o maior da segunda metade do século. Seus truques e suas fugas eram ousados, impressionantes e inexplicáveis. Era comum referirem-se a ele como um mago. Fitando seus olhos, Ryan começou a entender por quê. Saiu do estado de transe e decidiu recomeçar. Não acreditava em mágica.

— Sr. Atkins, meu pai pede desculpas por não poder vir. Espero...
— Ele está se sentindo melhor.

Confusa, ela parou.

— Está. Está sim.

Ryan se pegou olhando fixamente para ele. Pierce sorriu ao descer até ela.

— Ele telefonou uma hora atrás, srta. Swan. Chamada de longa distância, nada de telepatia.

Ryan deu um olhar raivoso antes de conseguir se conter, mas o sorriso dele apenas aumentou.

— Fez uma boa viagem?
— Sim, obrigada.
— Mas foi longa — disse ele. — Sente-se.

Pierce apontou para uma mesa e então puxou uma cadeira para se sentar. Ryan sentou-se em frente a ele.

— Sr. Atkins — começou ela, sentindo-se mais à vontade agora que estava prestes a falar de negócios. — Sei que meu pai discutiu a proposta da Swan Productions com o senhor e com seu agente minuciosamente, mas talvez o senhor preferisse repassar os detalhes. — Ela colocou a pasta sobre a mesa. — Eu poderia esclarecer quaisquer dúvidas.

— Trabalha há muito tempo para a Swan Productions, srta. Swan?

A pergunta interrompeu o fluxo da apresentação dela, mas Ryan mudou os pensamentos. Frequentemente, era preciso satisfazer as idiossincrasias de artistas.

— Cinco anos, sr. Atkins. Asseguro-lhe que estou qualificada para responder quaisquer perguntas e negociar os termos, se necessário.

A voz dela era muito suave, mas estava nervosa. Pierce percebeu pela maneira cuidadosa com que ela cruzou as mãos sobre a mesa.

— Tenho certeza de que é qualificada, srta. Swan. Seu pai não é um homem fácil de agradar.

Surpresa e um traço de apreensão passaram pelos olhos dela.

— Não — disse ela calmamente. — Por isso, pode ter certeza de que você está recebendo a melhor publicidade, a melhor equipe de produção e o melhor contrato do mercado. Três especiais de TV de uma hora por três anos, horário nobre garantido, com um orçamento que assegura a qualidade. — Ela fez uma pequena pausa. — Um acordo vantajoso para o senhor e para a Swan Productions.

— Talvez.

Pierce estava olhando para ela perto demais. Ryan precisou se esforçar para não ficar se remexendo. Cinza, percebeu. Os olhos eram cinza, tão escuros quanto era possível, sem serem pretos.

— Claro — continuou ela. — Você tem focado sua carreira nas plateias ao vivo de clubes e teatros. Vegas, Tahoe, o London Palladium, e assim por diante.

— Uma ilusão não significa nada em filme, srta. Swan. O filme pode ser editado.

— Sei disso. Para ter impacto, um truque deve ser executado ao vivo.

— Ilusão — corrigiu Pierce. — Não faço truques.

Ryan parou. Os olhos dele estavam fixos nos seus.

— Ilusão — consertou ela, assentindo com a cabeça. — Os especiais seriam transmitidos ao vivo, com uma plateia no estúdio também. A publicidade...

— Não acredita em mágica, não é, srta. Swan?

O mais leve dos sorrisos surgiu nos lábios dele, um traço de diversão na voz.

— Sr. Atkins, o senhor é um homem muito talentoso — disse ela com cuidado. — Admiro seu trabalho.

— Uma diplomata — concluiu ele, inclinando-se para trás. — E uma cética. Gosto disso.

Ryan não se sentiu elogiada. Pierce estava rindo dela sem disfarçar. *Seu trabalho*, lembrou-se enquanto cerrava os dentes. *Faça seu trabalho.*

— Sr. Atkins, se pudéssemos discutir os termos do contrato...
— Não faço negócios com ninguém até que saiba quem seja.

Ryan soltou um suspiro rápido.

— Meu pai...
— Não estou falando com seu pai — interrompeu Pierce de modo suave.

— Não pensei em trazer uma biografia — falou ela, e mordeu a língua em seguida. Droga! Não podia dar-se ao luxo de perder o controle. Mas Pierce sorriu, satisfeito.

— Acho que não será necessário.

Ele estava segurando a mão de Ryan antes que ela pudesse perceber.

— *Nunca mais.*

A voz vinda de trás fez Ryan pular na cadeira.

— É só o Merlin — disse Pierce suavemente enquanto ela virava a cabeça.

Havia um grande mainá preto numa gaiola à sua direita. Ryan respirou fundo e tentou acalmar os nervos. O pássaro estava olhando para ela.

— Espertinho — conseguiu dizer, observando o pássaro com certa reserva. — Ensinou-o a falar?

— Aham.

— *Posso te pagar uma bebida, docinho?*

De olhos arregalados, Ryan soltou uma risada abafada quando se virou novamente para Pierce. Ele simplesmente lançou ao pássaro um olhar negligente.

— Só não ensinei boas maneiras.

Ryan se esforçou para não demonstrar que achara graça.

— Sr. Atkins, se pudéssemos...
— Seu pai queria um filho. — Ryan esqueceu o que ia dizer e ficou olhando para ele. — Isso dificultou as coisas para você. — Pierce olhava em seus olhos de novo enquanto sua mão repousava frouxa na dele. — Não é casada, vive sozinha. É uma realista que se considera muito prática. Acha difícil controlar seu temperamento, mas se esforça. É uma mulher muito cautelosa, srta. Swan, leva tempo para

confiar, tem cuidado nos relacionamentos. É impaciente porque tem algo a provar. A si mesma e a seu pai.

Os olhos dele perderam a sinceridade intensa quando sorriu para ela.

— Um jogo de salão, srta. Swan, ou telepatia? — Quando Pierce soltou a mão dela, Ryan tirou-a da mesa e colocou-a sobre o colo. Ela não tinha gostado nada da precisão dele. — Um pouco de psicologia amadora — disse ele à vontade, apreciando a expressão atordoada dela. — Conhecimentos básicos sobre Bennett Swan e interpretação de linguagem corporal. — Ele deu de ombros. — Não tem truque, srta. Swan, apenas suposição juntamente com conhecimento. Cheguei perto?

Ryan apertou as mãos no colo. Sua mão direita ainda estava quente com o calor da dele.

— Não vim aqui para ficar de joguinhos, sr. Atkins.

— Não. — Ele sorriu mais uma vez, de modo encantador. — Veio fechar um negócio, mas eu faço as coisas no meu próprio tempo, do meu jeito. Minha profissão estimula a excentricidade, srta. Swan. Tenha paciência comigo.

— Estou fazendo o possível — respondeu Ryan, dando um suspiro profundo em seguida e recostando-se. — Acho seguro dizer que nós dois somos sérios em nossas profissões.

— De acordo.

— Então compreenda que é meu dever fazer com que assine o contrato com a Swan, sr. Atkins. — Talvez um pouco de bajulação funcionasse, concluiu. — Queremos o senhor porque é o melhor no ramo.

— Estou ciente disso — respondeu ele sem pestanejar.

— Ciente de que o queremos ou de que é o melhor? — perguntou ela.

Pierce deu um sorriso muito atraente.

— Os dois.

Ryan respirou fundo e lembrou-se que os artistas eram, muitas vezes, impossíveis.

— Sr. Atkins... — ela começou a dizer.

Com um bater de asas, Merlin saiu da gaiola e pousou no ombro de Ryan. Ela ofegou e congelou.

— Ai, meu Deus. — Isso era demais, pensou ela entorpecida. Realmente demais.

Pierce franziu as sobrancelhas para o pássaro quando ele acomodou as asas.

— Estranho, ele nunca fez isso com ninguém.

— Que sorte a minha — murmurou Ryan, permanecendo sentada sem se mexer. Pássaros mordem? Ela decidiu que não se importava de esperar para descobrir. — Acha que poderia... ah, convencê-lo a se empoleirar em outro lugar?

Um leve gesto da mão de Pierce fez com que Merlin saísse do ombro de Ryan e pousasse no seu.

— Sr. Atkins, por favor, entendo que um homem na sua profissão deva cultivar certo gosto por criar uma... atmosfera. — Ryan respirou fundo para se acalmar, mas não funcionou. — É muito difícil falar de negócios em uma... masmorra — disse ela, fazendo um movimento circular com o braço. — Com um pássaro louco dando rasantes em cima de mim e...

A risada de Pierce a interrompeu. Sobre o ombro dele o pássaro acomodou as asas e ficou encarando Ryan com olhos de aço.

— Ryan Swan, vou gostar de você. Trabalho nesta masmorra — explicou ele de modo afável. — É reservada e tranquila. O ilusionismo exige mais que habilidade, exige uma boa dose de planejamento e preparação.

— Compreendo isso, sr. Atkins, mas...

— Falaremos de negócios de modo mais convencional durante o jantar — interrompeu ele.

Ryan se levantou junto com ele. Não tinha sido a intenção dela ficar mais de uma hora ou duas. Era uma viagem de uns trinta minutos descendo a estrada até o hotel.

— Vai passar a noite aqui — acrescentou Pierce, como se tivesse realmente lido seus pensamentos.

— Aprecio sua hospitalidade, sr. Atkins — ela começou a dizer, seguindo-o enquanto ele caminhava de volta para a escada, com o pássaro pousado placidamente em seu ombro. — Fiz reserva num hotel da cidade. Amanhã...

— Está com suas malas?

Pierce parou para segurar o braço dela antes de subir os degraus.

— Estão no carro, mas...

— Link cancelará sua reserva, srta. Swan. Vamos ter uma tempestade. — Ele virou a cabeça para olhar para ela. — Não gostaria de vê-la dirigindo por essas estradas esta noite.

Como se para acentuar suas palavras, um trovão saudou-os quando chegaram ao topo da escada. Ryan murmurou algo. Ela não tinha certeza se queria pensar em passar a noite naquela casa.

— *Não há nada nas minhas mangas* — anunciou Merlin.

Ela disparou-lhe um olhar suspeito.

Capítulo 2

O JANTAR AJUDOU a acalmar a mente de Ryan. A sala era enorme, com uma lareira acesa numa das extremidades e uma coleção de peltres antigos na outra. A longa mesa foi posta com porcelana de Sèvres e prata georgiana.

— Link é um excelente cozinheiro — disse-lhe Pierce quando o homem gigante colocou uma galinha à moda da Cornualha à sua frente.

Ryan olhou de relance para as mãos enormes de Link antes de ele se retirar. Com cuidado, pegou o garfo.

— Ele é bem quieto.

Pierce sorriu e encheu a taça dela com um vinho dourado-claro.

— Link só fala quando tem algo a dizer. Diga-me uma coisa, srta. Swan: gosta de morar em Los Angeles?

Ryan olhou para ele. Os olhos de Pierce estavam amistosos agora, nem intensos nem intrusos como antes. Ela se permitiu relaxar.

— Acho que sim. É conveniente para o meu trabalho.

— Abarrotada de gente? — Pierce cortou a carne.

— Sim, claro, mas estou acostumada.

— Sempre viveu em Los Angeles?

— Com exceção de quando estava na escola.

Pierce notou a suave mudança de tom, o leve sinal de ressentimento que ninguém mais teria percebido. Ele continuou a comer.

— Onde estudou?

— Na Suíça.

— Belo país. — Ele pegou o vinho. *E ela não se importou de ser mandada para longe*, ele pensou. — Depois começou a trabalhar para a Swan Productions?

Com as sobrancelhas franzidas, Ryan ficou olhando o fogo.

— Quando meu pai percebeu que eu era determinada, ele concordou.

— E é uma mulher determinada — comentou Pierce.

— Sou. No primeiro ano, eu cuidava dos documentos, pegava café e ficava longe dos artistas. — As sobrancelhas se descontraíram. Um leve humor iluminou seus olhos. — Um dia, alguns documentos apareceram na minha mesa, bem por acaso. Meu pai estava tentando contratar Mildred Chase para uma minissérie. Ela não estava cooperando. Fiz umas pesquisas e fui vê-la. — Rindo com a lembrança, ela lançou um sorriso para Pierce. — Foi uma experiência e tanto. Ela mora num lugar maravilhoso nas montanhas: seguranças, dezenas de cachorros. Faz muito o estilo da "antiga Hollywood". Acho que me recebeu por curiosidade.

— O que achou dela? — perguntou ele, principalmente para que Ryan continuasse falando e sorrindo.

— Eu a achei maravilhosa. Uma verdadeira *grande dame*. Se meus joelhos não estivessem tremendo, tenho certeza de que teria feito uma reverência. — Uma luz de triunfo cobriu seu rosto. — E quando fui embora, duas horas depois, sua assinatura estava no contrato.

— Como seu pai reagiu?

— Ele ficou furioso. — Ryan pegou o vinho. O fogo lançou um jogo de sombra e luz sobre sua pele. Ela pensaria na conversa mais tarde e ficaria assombrada com sua própria expansividade. — Ficou com raiva de mim por cerca de uma hora. — Ela bebeu e colocou a taça sobre a mesa. — No dia seguinte, recebi uma promoção e um novo escritório. Bennett Swan aprecia pessoas realizadoras.

— É realizadora, srta. Swan? — murmurou Pierce.

— Geralmente —respondeu ela, com suavidade. — Sou boa em lidar com detalhes.

— E com pessoas?

Ryan hesitou. Os olhos dele estavam diretos novamente.

— A maioria.

Ele sorriu, mas seu olhar permaneceu direto.

— Como está o jantar?

— Meu... — Ryan balançou a cabeça para se desvencilhar do olhar fixo e olhou para o prato. Ela ficou surpresa de ver que tinha comido boa parte da galinha. — Está muito bom. Seu...

Ela olhou de novo para ele, sem saber ao certo como chamar Link. Criado? Servo?

— Amigo — interrompeu Pierce suavemente e deu um gole no vinho.

Ryan lutou com a sensação desconfortável de que ele lia seus pensamentos.

— Seu amigo é um cozinheiro maravilhoso.

— As aparências geralmente enganam — salientou Pierce, achando graça. — Nós dois exercemos profissões que mostram à plateia algo que não é real. A Swan Productions lida com ilusões. E eu também. — Ele esticou o braço na direção dela, e Ryan recostou-se rapidamente. Na mão de Pierce havia uma rosa vermelha de caule comprido.

— Oh! — Surpresa e satisfeita, Ryan pegou-a. Seu aroma era forte e doce. — Suponho que seja o tipo de coisa que se deve esperar quando se janta com um mágico — comentou, e sorriu para ele por cima da flor.

— Mulheres bonitas e flores andam juntas. — A cautela que surgiu nos olhos dela o intrigou. *Uma mulher muito cautelosa*, pensou ele novamente. Ele gostava de cautela, respeitava. Também gostava de observar a reação das pessoas. — É uma mulher bonita, Ryan Swan.

— Obrigada.

Sua resposta foi quase recatada e fez a boca dele se contrair.

— Mais vinho?

— Não, não, obrigada. Estou satisfeita. — Mas sua pulsação estava um pouco acelerada. Colocou a rosa ao lado do prato e voltou à refeição. — Poucas vezes estive tão longe assim da Costa — disse ela, em tom de conversa. — Mora aqui há bastante tempo, sr. Atkins?

— Alguns anos. — Ele girou o vinho na taça, mas Ryan notou que ele tinha bebido bem pouco. — Não gosto de multidões.

— Exceto numa apresentação — disse ela com um sorriso.

— Naturalmente.

Ocorreu a Ryan quando Pierce se levantou e sugeriu que fossem para a sala de estar, que eles não tinham falado sobre o contrato. Ela ia ter que levá-lo de volta ao assunto.

— Sr. Atkins... —começou a falar enquanto eles andavam. — Ah! Que sala bonita!

Era como voltar ao século XVIII. Mas não havia teias de aranha nem sinais do tempo. A mobília brilhava, e as flores eram frescas. Um pequeno piano de armário repousava num canto, com a partitura aberta. Havia pequenas estatuetas de vidro sobre o console da lareira. Uma coleção de animais, notou ela ao observar de perto — unicórnios, cavalos alados, centauros, um cão com três cabeças. Não havia animais convencionais na coleção de Pierce Atkins. O fogo na lareira estava brando, o abajur sobre uma mesa entalhada era, certamente, da marca Tiffany. Era uma sala que Ryan esperava encontrar numa aconchegante casa de campo inglesa.

— Fico feliz que tenha gostado — disse Pierce, de pé ao lado dela. — Pareceu surpresa.

— Sim. De fora, a propriedade parece saída de um filme de terror de 1945, mas... — Ryan se conteve, horrorizada. — Ai, me desculpe, não quis dizer...

Mas ele estava sorrindo, obviamente deleitando-se com a observação.

— Foi usada para isso mais de uma vez. Por isso que a comprei.

Ryan relaxou novamente enquanto vagava pela sala.

— Ocorreu-me que pudesse tê-la escolhido pela atmosfera.

Pierce levantou uma das sobrancelhas.

— Tenho uma certa... afeição pelas coisas que aparentam ser verdadeiras para as outras pessoas. — Ele foi até uma mesa onde as xícaras já estavam dispostas. — Infelizmente, não posso lhe oferecer café. Não uso cafeína. O chá é de ervas, e é muito bom.

Ele já estava servindo quando Ryan caminhou até o piano.

— Chá está bom — disse ela distraidamente. Não era partitura impressa que havia sobre o piano, observou ela, mas sim folhas soltas. Automaticamente, ela começou a escolher as notas manuscritas. A melodia era extremamente romântica. — Isso é bonito. — Ryan virou-se para ele. — Muito bonito. Não sabia que compunha música.

— Não componho. — Pierce largou o bule de chá. — Link compõe. — Ele observou os olhos de Ryan se arregalarem espantados. — Aparências, srta. Swan. Ela olhou para as mãos.

— O senhor me deixa bastante envergonhada.

— Não tive a intenção de fazer isso. — Ele caminhou até ela e pegou sua mão novamente. — A maioria de nós sente atração pela beleza.

— O senhor não?

— Acho a beleza superficial atraente, srta. Swan. — De forma rápida e meticulosa, ele observou o rosto dela. — Depois, procuro algo mais.

Algo no contato fez com que ela se sentisse estranha. A voz dela não foi tão forte quanto deveria ter sido.

— E se não encontrar?

— Então, eu a descarto — disse ele, de modo simples. — Venha, seu chá vai esfriar.

— Sr. Atkins. — Ryan permitiu que ele a conduzisse até uma cadeira. — Não quero ofendê-lo. Não posso me dar ao luxo de ofendê-lo, mas... — Ela soltou um suspiro de frustração quando se sentou. — Acho você um homem muito estranho.

Ele sorriu. Ela achou seu sorriso atraente, a maneira como seus olhos sorriram um milésimo de segundo antes de sua boca.

— Eu ficaria ofendido, srta. Swan, se não pensasse assim. Não tenho desejo de ser comum.

Ele estava começando a fasciná-la. Ryan sempre tinha tido o cuidado de manter a objetividade profissional ao lidar com os artistas. Era importante não ficar embevecida. Se ficasse, adicionaria cláusulas contratuais e faria promessas apressadas.

— Sr. Atkins, sobre a nossa proposta...

— Pensei bastante sobre ela. — O estrondo de um trovão balançou as janelas. Ryan levantou os olhos quando ele ergueu a xícara.

— As estradas estarão traiçoeiras esta noite. — Os olhos dele focaram novamente os de Ryan. As mãos dela tinham se fechado com a explosão. — As tempestades a perturbam, srta. Swan?

— Não, de modo algum. — Com cuidado, ela relaxou os dedos. — Mas sou grata por sua hospitalidade. Não gosto de dirigir com tempo ruim. — Ela levantou a xícara e tentou ignorar os raios. — Se tiver qualquer pergunta sobre os termos, ficaria feliz em repassá-los com o senhor.

— Acho que estão suficientemente claros. — Ele bebericou o chá.

— Meu agente está ansioso para que eu aceite o contrato.

— É?

Ryan teve que lutar para esconder o triunfo na voz. Seria um erro forçar a barra tão cedo.

— Nunca me comprometo com nada até ter certeza de que me convém. Amanhã lhe direi o que decidi.

Ryan assentiu com a cabeça, aceitando. Pierce não estava jogando, e ela sentia que nenhum agente, nem ninguém, o influenciaria além de certo ponto. Ele era completamente dono do próprio nariz.

— Joga xadrez, srta. Swan?

— O quê? — Distraída, ela levantou os olhos novamente. — O que disse?

— Joga xadrez? — repetiu ele.

— Bem, sim, jogo.

— Achei que sim. Sabe quando agir e quando esperar. Gostaria de jogar?

— Sim — concordou ela sem hesitação. — Gostaria.

Pierce se levantou, ofereceu-lhe a mão e levou-a até uma mesa perto das janelas. Do lado de fora, a chuva caía contra o vidro. Mas quando viu o tabuleiro de xadrez já preparado, ela esqueceu a tempestade.

— São primorosas! — Ryan levantou o rei branco. Era grande e esculpido em mármore. — Arthur — disse ela, e pegou a rainha. — E Guinevère. — Ela examinou as outras peças. — Lancelot, o cavaleiro; Merlin, o bispo; e, é claro, Camelot. — Ela virou a torre na mão. — Nunca vi nada assim.

— Fique com as brancas — ofereceu ele, sentando-se atrás das pretas. — Joga para ganhar, srta. Swan?

Ryan sentou na cadeira em frente a ele.

— Claro. Todo mundo joga, não?

Ele lançou-lhe um longo olhar insondável.

— Não. Alguns jogam apenas para competir.

Após dez minutos, Ryan não ouviu mais a chuva batendo contra as janelas. Pierce era um jogador astuto e calado. Ela se pegou observando as mãos dele enquanto deslocavam as peças sobre o tabuleiro. Eram longas e estreitas, com dedos ágeis. Ele usava um anel de ouro no dedo mínimo com um símbolo gravado que ela não reconheceu. Ryan tinha ouvido dizer que aqueles dedos podiam abrir qualquer cadeado, desatar qualquer nó. Observando-os, ela pensou que eram mais adequados para afinar violino. Quando levantou os olhos rapidamente, ela o pegou observando-a com seu sorriso divertido e compreensivo. Ryan canalizou sua concentração para a estratégia do jogo.

Ryan atacava, ele defendia. Ele avançava, ela contra-atacava. Pierce estava satisfeito de ter uma parceira à altura. Ryan era uma jogadora cautelosa, dada a impulsos ocasionais. Ele sentia que sua maneira de jogar refletia quem ela era. Não seria facilmente enganada nem derrotada. Ele admirava tanto o pensamento rápido quanto a força que sentia nela. Tornava sua beleza ainda mais atraente.

As mãos dela eram macias. Quando ele capturou o bispo, ele imaginou de modo desproposital se a boca de Ryan também seria macia. Já tinha decidido que descobriria isso; agora era uma questão de tempo. Pierce compreendia a inestimável importância do senso de oportunidade.

— Xeque-mate — disse ele baixinho e ouviu a respiração entrecortada de surpresa de Ryan.

Ela examinou o tabuleiro por um momento e depois sorriu para ele.

— Droga, não previ isso. Tem certeza de que não tem algumas peças extras escondidas nas mangas?

— *Nada nas mangas* — disse Merlin rindo do outro lado da sala. Ryan lançou-lhe um olhar rápido e se perguntou quando o pássaro tinha se juntado a eles.

— Não uso mágica quando a habilidade basta — disse Pierce, ignorando seu animal de estimação. — Joga bem, srta. Swan.

— Você joga melhor, sr. Atkins.

— Desta vez — concordou ele. — Você desperta o meu interesse.

— É mesmo? — Ela olhou diretamente para ele. — Como?

— De várias maneiras. — Ele recostou-se e correu o dedo pela rainha preta. — Joga para ganhar, mas leva na esportiva quando perde. Isso é sempre verdade?

— Não. — Ela riu, mas levantou-se da mesa. Pierce a estava deixando nervosa novamente. — Leva na esportiva quando perde, sr. Atkins?

— Não perco com frequência.

Quando ela olhou para trás, ele estava parado perto de outra mesa, mexendo num baralho. Ryan não o tinha visto se mexer. Isso a deixou desconfortável.

— Conhece as cartas do tarô?

— Não. Quer dizer, sei que são utilizadas para prever o futuro ou algo do tipo, certo?

— Algo do tipo. — Ele deu um pequeno sorriso e embaralhou as cartas suavemente. — É uma coisa sem sentido, srta. Swan. Um instrumento para atrair a atenção de alguém e acrescentar mistério ao pensamento rápido e à observação. A maioria das pessoas prefere ser enganada. As explicações deixam as pessoas desapontadas. Até mesmo a maior parte dos realistas.

— Não acredita nas cartas. — Ryan caminhou para junto dele. — Sabe que não pode prever o futuro com papelão e cores bonitas.

— Uma ferramenta, uma distração. — Pierce levantou os ombros. — Um jogo, se quiser. Os jogos me fazem relaxar.

Pierce embaralhou as cartas grandes num gesto rápido e eficaz e espalhou-as sobre a mesa.

— Faz isso muito bem — murmurou Ryan. Ela estava tensa novamente, mas não sabia por quê.

— Uma habilidade básica — disse ele calmamente. — Poderia lhe ensinar bem rápido. Tem mãos competentes. — Ele levantou uma das mãos dela, mas foi seu rosto que ele examinou, não a palma. — Quer que eu escolha uma carta?

Ryan retirou a mão da dele. Sua pulsação estava começando a ficar acelerada.

— O jogo é seu.

Com a ponta do dedo, Pierce retirou uma carta e colocou-a virada para cima. Era o Mago.

— Confiança, criatividade — murmurou Pierce.

— É a sua carta? — perguntou Ryan de brincadeira, a fim de esconder a tensão crescente.

— Assim poderia parecer. — Pierce colocou o dedo em outra carta e retirou-a. A Sacerdotisa. — Serenidade — disse ele baixinho. — Força. É a sua carta?

Ryan deu de ombros.

— É bastante simples para você tirar qualquer carta que quiser depois de ter empilhado o baralho.

Pierce sorriu, sem se sentir ofendido.

— A cética deveria escolher a próxima para ver onde essas duas pessoas terminarão. Escolha uma carta, srta. Swan — disse ele. — Qualquer carta.

Aborrecida, Ryan puxou uma carta e colocou-a virada para cima sobre a mesa. Após um suspiro, ela ficou olhando para a carta em absoluto silêncio. Os Amantes. Seu coração martelou de leve na garganta.

— Fascinante — murmurou Pierce. Ele não estava sorrindo agora, mas examinou a carta como se nunca a tivesse visto antes.

Ryan deu um passo para trás.

— Não gosto do seu jogo, sr. Atkins.

— Hummm? — Ele levantou os olhos distraidamente e concentrou-se nela. — Não? Bem, então... — Ele juntou as cartas de modo negligente e empilhou-as. — Vou levá-la a seu quarto.

* * *

Pierce havia ficado tão surpreso com a carta quanto Ryan. Mas ele sabia que a realidade geralmente era mais estranha que qualquer ilusão que pudesse criar. Ele tinha trabalho a fazer, muitos planos para seu compromisso em Las Vegas dentro de duas semanas. No entanto, enquanto estava sentado em seu quarto, ele só pensava em Ryan, não no trabalho.

Havia algo nela quando ria, algo brilhante e vital. Agradava-lhe, da mesma maneira que sua voz mansa e prática o atraíra quando ela falou de contratos e cláusulas.

Ele já conhecia o contrato de trás para frente. Não era o tipo de homem de deixar de lado a parte comercial da profissão. Pierce não assinava nada a não ser que compreendesse todas as nuances. Se o público o via como misterioso, espalhafatoso e estranho, isso era muito bom. A imagem era metade ilusão e metade realidade. Era assim que ele preferia. Tinha passado a segunda metade da vida organizando as coisas da maneira que preferia.

Ryan Swan. Pierce tirou a camisa e jogou-a para o lado. Ele não tinha certeza quanto a ela ainda. Pretendia assinar os contratos até vê-la descer a escada. O instinto o fez hesitar. Pierce confiava bastante em seus instintos. Agora ele precisava pensar um pouco.

As cartas não o influenciaram. Ele poderia fazer as cartas se levantarem e dançarem se quisesse. Mas a coincidência o deixou alerta. Foi estranho que Ryan virasse a carta simbolizando os amantes quando ele estava pensando qual seria a sensação de tê-la nos braços.

Ele riu, sentou-se e começou a rabiscar num bloco de papel. Os planos que estava fazendo para uma nova fuga teriam de ser rasgados ou revisados, mas pensar na fuga o fez relaxar, tal como quando pensava em Ryan.

Poderia ser prudente assinar os documentos de manhã e mandá-la embora. Ele não gostava de ter uma mulher interferindo em seus pensamentos. Mas Pierce nem sempre fazia o que era prudente. Se fizesse, ainda estaria se apresentando em clubes, tirando coelhos da cartola e lenços coloridos do bolso. Agora, ele transformava uma mulher em pantera e passava por um muro de tijolos.

Poof!, pensou. Mágica instantânea. E ninguém se lembrava dos anos de frustração, luta e fracasso. Isso também era exatamente como ele queria. Havia pouquíssimas pessoas que sabiam sua origem ou quem ele tinha sido antes dos 25 anos.

Pierce largou o lápis. Ryan Swan o estava deixando desconfortável. Ele desceria e trabalharia até que sua mente desanuviasse. Então, ouviu o grito dela.

Ryan se despiu de forma negligente. A irritação sempre a deixava negligente. Truques de salão, pensou furiosa, e abaixou o zíper da saia. Já deveria estar acostumada com essas estratégias. Lembrou-se de um encontro com um conhecido comediante no mês anterior. Ele tinha tentado um número de vinte minutos com ela antes de se sentar para discutir os planos de aparecer como convidado numa apresentação da Swan Productions. Toda a coisa com as cartas de tarô havia sido apenas uma exibição com o intuito de impressioná-la, concluiu, e tirou os sapatos. Apenas mais um egocentrismo de um artista inseguro.

Ryan franziu as sobrancelhas enquanto desabotoava a blusa. Não conseguia concordar com as próprias conclusões. Pierce Atkins não lhe parecia um homem inseguro, nem no palco, nem fora dele. E poderia jurar que ele tinha ficado tão surpreso quanto ela quando Ryan virou a carta. Tirou a blusa e jogou-a sobre uma cadeira. Bem, ele era um ator, lembrou-se. O que mais um mágico era do que um ator habilidoso, com mãos hábeis?

Ryan se lembrou da aparência das mãos dele nas peças de xadrez de mármore preto, mãos magras e graciosas. Livrou-se da lembrança. Amanhã, colocaria a assinatura dele naquele contrato e partiria. Pierce a deixara desconfortável; mesmo antes do pequeno número com as cartas, ele a deixara desconfortável. Aqueles olhos, Ryan pensou e tremeu. Havia algo naqueles olhos.

A personalidade dele era, simplesmente, muito forte, concluiu. Ele era magnético e, de fato, muito atraente. Tinha cultivado isso, tal como, sem dúvida, cultivara o ar misterioso e o sorriso enigmático.

Um raio seguido de trovoada a assustou, e Ryan deu um pulo. Não tinha sido completamente honesta com Pierce: tempestades arrasavam seus nervos. Intelectualmente, ela podia ignorar, mas os raios e os trovões sempre provocavam um aperto em seu estômago. Ela odiava essa fraqueza, que era basicamente feminina. Pierce estava certo: Bennett Swan queria um filho. Ryan tinha passado a vida inteira se esforçando para compensar o fato de ter nascido mulher.

Vá dormir, disse a si mesma. *Vá dormir, puxe as cobertas por cima da cabeça e feche os olhos.* Propositalmente, foi fechar as cortinas. Lançou um olhar fixo para a janela. Algo retribuiu o olhar. Ela gritou.

Ryan cruzou o quarto como um relâmpago. Suas mãos úmidas escorregaram da maçaneta. Quando Pierce abriu a porta, ela caiu em seus braços e ele a agarrou firme.

— Ryan, o que está acontecendo?

Ele a teria afastado, mas os braços em volta de seu pescoço estavam apertados. Ela era muito pequena sem os saltos. Ele podia sentir a forma do seu corpo pelo jeito que ela comprimiu-se desesperadamente contra ele. Por causa da preocupação e da curiosidade, Pierce vivenciou uma rápida e poderosa onda de desejo. Incomodado, ele a afastou firme e segurou-a pelos braços.

— O que é? — perguntou.

— A janela — ela conseguiu dizer, e teria voltado a seus braços se ele não a tivesse mantido afastada. — Na janela perto da cama.

Pierce a afastou e caminhou até a janela. Ryan levou as mãos à boca e recuou até a porta, fechando-a com força.

Ela ouviu o palavrão baixo que Pierce soltou quando levantou o vidro e olhou para fora. Pegou um gato preto muito grande e encharcado. Dando um gemido, Ryan chocou-se ruidosamente com a porta.

— Ai, meu Deus, qual será a próxima? —perguntou-se ela em voz alta.

— Circe. — Pierce colocou a gata no chão. Ela se balançou uma vez e pulou para cima da cama. — Não percebi que ela estava lá fora com esse tempo. — Ele virou-se para olhar para Ryan. Se tivesse rido, ela nunca o teria perdoado. Mas havia um pedido de desculpas nos olhos dele, não um ar de diversão. — Desculpe. Você deve ter ficado bastante assustada. Quer um conhaque?

— Não. — Ryan deu um longo suspiro. — Conhaque não cura um extremo constrangimento.

— Estar apavorada não é razão para se sentir constrangida.

As pernas dela ainda estavam tremendo, então permaneceu apoiada na porta.

— Pode me avisar se tiver mais animais de estimação? — Fazendo um esforço, ela conseguiu dar um sorriso. — Assim, se eu acordar com um lobo na minha cama posso dar de ombros e voltar a dormir.

Pierce não respondeu. Enquanto ela observava, os olhos dele desceram lentamente pelo seu corpo. Ryan tomou consciência de que estava usando apenas uma fina camisola de seda. Ficou ereta junto à porta. Mas quando os olhos dele retornaram aos de Ryan, ela não conseguiu se mover, nem falar. Sua respiração tinha começado a ficar difícil antes de ele dar o primeiro passo em sua direção.

Diga-lhe para ir embora!, gritou a mente dela, mas seus lábios se recusaram a pronunciar as palavras. Ela não conseguiu afastar os olhos dos dele. Quando Pierce parou à sua frente, a cabeça dela inclinou-se para trás de modo que o olhar persistisse. Ela podia sentir a pulsação martelar na garganta, nos pulsos, nos seios. Todo o seu corpo vibrava com ela.

Eu o quero. Saber disso a deixou atordoada. *Nunca desejei um homem como o desejo.* A respiração dela estava audível agora. A dele continuava lenta, calma e constante. Pierce levou o dedo até o ombro dela e puxou a alça para o lado, que caiu frouxa em seu braço. Ryan não se moveu. Ele a observou intensamente quando puxou a segunda alça. A parte de cima da camisola tremulou até as pontas de seus seios e ficou presa tenuamente. Um movimento descuidado da mão dele faria a camisola cair até os pés. Ryan permaneceu imóvel.

Pierce tirou o cabelo dela do rosto e deixou que as mãos mergulhassem fundo nele. Aproximou-se mais e hesitou. Os lábios trêmulos de Ryan se abriram. Ele viu os olhos dela fecharem-se antes de suas bocas se tocarem.

Os lábios dele eram firmes e gentis. A princípio, mal tocaram os dela, apenas saborearam. Então, ele permaneceu por um momento mantendo o beijo suave. Uma promessa ou uma ameaça; Ryan não tinha certeza. As pernas dela estavam prestes a se curvarem. Em sinal de defesa, ela enroscou as mãos nos braços dele. Havia músculos, duros e firmes, em que ela não pensaria até muito depois. Agora ela pensava apenas em sua boca. Ele mal a estava beijando, mas o impacto do toque a deixou sem fôlego.

Pouco a pouco, ele aprofundou o beijo. Os dedos de Ryan apertaram desesperadamente os braços dele. A boca de Pierce roçou sobre a dela e depois voltou, com mais pressão. Sua língua passou como uma pena sobre a dela. Ele tocou apenas seu cabelo, embora o corpo dela o seduzisse. Ele retirou cada grama de prazer apenas com a boca.

Pierce sabia o que era ter fome, tanto de comida, quanto de amor e de uma mulher, mas não experimentava esse doloroso e descontrolado desejo havia muitos anos. Queria o sabor dela, *apenas* o sabor dela. Era, ao mesmo tempo, doce e pungente. Quando a puxou para si, ele soube que chegaria um momento em que desejaria mais. Mas, por enquanto, os lábios dela bastavam.

Quando percebeu que tinha alcançado a fronteira entre afastar-se e tomá-la, Pierce levantou a cabeça e esperou Ryan abrir os olhos.

Os olhos verdes dela estavam escurecidos, enevoados. Pierce viu que ela estava tão atordoada quanto excitada. Sabia que podia tomá-la ali, exatamente onde estavam. Tinha apenas que beijá-la novamente, apenas colocar de lado o pequeno tecido de seda que ela usava. Mas não fez nenhuma das duas coisas. Os dedos de Ryan se afrouxaram, e suas mãos largaram os braços dele. Sem dizer nada, Pierce deu a volta e abriu a porta. A gata pulou da cama para passar pela porta aberta antes que Pierce a fechasse.

Capítulo 3

Pela manhã, o único sinal da tempestade era o gotejar na sacada do quarto de Ryan. Ela se vestiu com cuidado. Era importante que estivesse em perfeito equilíbrio quando descesse. Teria sido mais fácil se tivesse conseguido se convencer de que estava sonhando, que Pierce não havia ido ao seu quarto, que ele não lhe dera aquele beijo estranho e extenuante. Mas não havia sido um sonho.

Ryan era realista demais para fingir o contrário ou arranjar desculpas. Grande parte do que havia acontecido fora culpa dela, admitiu ao dobrar a roupa usada na noite anterior. Tinha agido como uma tola, gritando porque um gato tentara entrar no quarto por causa da chuva. Havia se lançado nos braços de Pierce com os nervos quase em frangalhos. E, por fim, e o mais perturbador, não demonstrou nenhuma objeção. Ryan foi forçada a admitir que Pierce tinha lhe dado bastante tempo para se opor. Mas ela não fez nada, não lutou, nem mostrou indignação.

Talvez ele a tivesse hipnotizado, pensou assustada enquanto escovava o cabelo. O jeito que olhou para ela, o modo como seus pensamentos fugiram... Com um tom de frustração, Ryan jogou a escova dentro da mala. Não se pode ser hipnotizado com um olhar.

Se quisesse lidar com o assunto, tinha, primeiro, que admitir: desejara que ele a beijasse. E quando ele o fez, os sentidos dela a dominaram. Ryan fechou os cadeados da mala e depois a colocou ao lado da porta. Podia ter ido para a cama com ele. Era fato, não havia como negar. Se Pierce tivesse ficado, ela teria feito amor com ele, com um homem que tinha conhecido havia poucas horas.

Ryan respirou fundou e demorou um instante antes de abrir a porta. Era uma verdade difícil de encarar para uma mulher que se orgulhava de agir com bom senso e praticidade. Fora pegar a assinatura de Pierce num contrato, não dormir com ele.

E você ainda não fez nenhum dos dois, lembrou-se, fazendo uma careta. E era de manhã. Hora de se concentrar no primeiro e esquecer o segundo. Ryan abriu a porta e desceu.

A casa estava silenciosa. Depois de dar uma olhadela na sala de estar e encontrá-la vazia, prosseguiu pelo corredor. Embora sua mente estivesse determinada a encontrar Pierce e fechar o negócio, que era seu objetivo, uma porta aberta à sua direita seduziu-a a parar. O primeiro olhar arrancou dela um som de prazer.

Havia paredes, literalmente paredes, de livros. Ryan nunca tinha visto tantos em uma coleção particular, nem mesmo a de seu pai. De alguma forma, soube que os livros eram mais que um investimento, eram lidos. Pierce conhecia cada um deles. Ela entrou no cômodo para olhar mais de perto. Havia um aroma de couro e de velas.

As memórias de Robert-Houdin, de Houdini; *Fronteiras do desconhecido*, de Arthur Conan Doyle; *Les Illusionistes et Leurs Secrets*. Ryan esperava esses e dezenas de outros livros sobre mágica e mágicos. Mas também havia T.H. White, Shakespeare, Chaucer, os poemas de Byron e Shelley. Espalhadas entre eles estavam obras de Fitzgerald, Mailer e Bradbury. Nem todos tinham capa de couro ou eram antigos e valiosos. Ryan pensou em seu pai, que conhecia o valor de cada um de seus livros até o último dólar e que havia lido não mais de uma dúzia de sua coleção.

Ele tem um gosto muito eclético, refletiu enquanto vagava pelo cômodo. Sobre o console da lareira estavam gravuras talhadas e pintadas que ela reconheceu como habitantes da Terra Média, de *O senhor dos anéis*, de Tolkien. Havia uma escultura de metal muito moderna sobre a escrivaninha.

Quem é este homem?, Ryan se perguntou. *Quem ele realmente é? Lírico, excêntrico, com nuances de um firme realista por dentro.* Incomodava-lhe perceber o quanto ela queria conhecer aquele homem por inteiro.

— Srta. Swan?

Ryan se virou e viu a figura de Link na porta.
— Ah, bom dia. — Não tinha certeza se a expressão dele era desaprovadora ou se era simplesmente sua impressão a respeito do lamentável rosto dele. — Desculpe — acrescentou ela. — Eu não deveria ter entrado aqui?

Link encolheu os grandes ombros.
— Ele teria trancado a sala se não quisesse que entrasse.
— Sim, claro — murmurou Ryan, sem saber se deveria se sentir insultada ou rir.
— Pierce disse que pode esperar por ele lá embaixo depois de tomar o café da manhã.
— Ele saiu?
— Foi correr — disse Link de forma sucinta. — Ele corre oito quilômetros todo dia.
— Oito quilômetros?

Mas Link já estava se retirando. Ela atravessou o cômodo às pressas para alcançá-lo.
— Vou preparar seu café da manhã — ele lhe disse.
— Apenas café... chá —corrigiu ela ao se lembrar. Ela não sabia como se referir a ele, mas percebeu que logo estaria ofegante demais por tentar acompanhá-lo para chamá-lo de qualquer coisa. — Link. — Ryan tocou o braço dele, e ele parou. — Vi seu trabalho no piano ontem à noite. — Ele estava olhando firme para ela, sem qualquer mudança na expressão. — Espero que não se importe. — Ele deu de ombros novamente. Ryan concluiu que ele usava o gesto constantemente em vez das palavras. — É uma linda melodia — continuou ela. — Realmente maravilhosa.

Para seu espanto, ele corou. Ryan não pensou que fosse possível um homem do tamanho dele ficar sem graça.
— Não está concluído — murmurou ele, com seu rosto enorme e feio ficando mais rosado.

Ryan sorriu para ele, comovida.
— O que está feito está bonito. Você tem um talento maravilhoso.

Ele arrastou os pés, murmurou alguma coisa sobre pegar o chá e saiu com passos pesados. Ryan sorriu da retirada dele e foi para a sala de jantar.

Link trouxe torradas, resmungando sobre ela ter que comer alguma coisa. Ryan comeu tudo obedientemente, pensando no comentário de Pierce sobre aparências. Se nada mais acontecesse nessa estranha visita, ela havia aprendido algo. Não achava que algum dia faria julgamentos precipitados sobre alguém com base na aparência novamente.

Embora tivesse demorado a comer de propósito, não houve sinal de Pierce quando terminou. A relutância em enfrentar o andar inferior novamente fez com que bebesse o chá frio e esperasse. Por fim, com um suspiro, ela se levantou, pegou a maleta e desceu a escada.

Alguém tinha acendido as luzes, e Ryan ficou grata por isso. A sala não estava plenamente iluminada; era grande demais para que a luz alcançasse todos os cantos. Mas a sensação de apreensão que Ryan tinha vivenciado no dia anterior não se repetiu. Dessa vez, sabia o que esperar.

Avistou Merlin e caminhou até ele. A porta da gaiola estava aberta, então, cautelosamente, deu um passo para o lado enquanto o examinava. Não queria incentivá-lo a empoleirar-se no seu ombro de novo, principalmente porque Pierce não estava lá para afastá-lo.

— Bom dia — disse ela, curiosa para saber se ele conversaria com ela enquanto estivesse sozinha.

Merlin observou-a por um momento.

— *Posso te pagar uma bebida, docinho*?

Ryan riu e concluiu que o treinador de Merlin tinha um estranho senso de humor.

— Não caio nesse papo — disse ela e curvou-se até que estivessem frente a frente. — O que mais você sabe dizer? Aposto que ele lhe ensinou bastante coisa. Teria paciência para isso. — Ela sorriu, achando graça do fato de que a ave parecia estar ouvindo com atenção. — Você é um pássaro esperto, Merlin?

— *Ai de mim, pobre Yorick*! — disse ele, com exagerada polidez.

— Meu Deus, ele cita *Hamlet*. — Ryan balançou a cabeça e virou-se em direção ao palco. Havia dois grandes baús, um cesto de palha e uma mesa comprida. Curiosa, Ryan largou a maleta que carregava e subiu a escada. Sobre a mesa havia um baralho, um par de cilindros vazios, garrafas, taças de vinho e um par de algemas.

Ryan pegou as cartas e perguntou-se de modo fugaz como ele as marcava. Não conseguiu ver nada, mesmo quando as segurou contra a luz. Colocou-as de lado e examinou as algemas. Elas pareciam iguais às usadas pela polícia. Frias, de aço, insensíveis. Vasculhou a mesa em busca de uma chave e não achou nada.

Ryan tinha feito uma pesquisa detalhada sobre Pierce. Sabia que não havia um cadeado que pudesse detê-lo. Ele teve as mãos e os pés acorrentados e foi colocado em uma mala-armário com três cadeados. Em menos de três minutos ele tinha saído, livre de quaisquer grilhões. Impressionante, admitiu ela, ainda examinando as algemas. Onde estava o truque?

— Srta. Swan.

Ryan largou as algemas fazendo um grande barulho. Quando se virou, Pierce estava parado bem atrás dela. Mas ele não podia ter descido a escada, pensou. Ela teria ouvido, ou certamente visto. Obviamente, havia outra entrada para a sala de trabalho. E há quanto tempo, perguntou-se, ele estava parado observando? Estava fazendo exatamente isso agora enquanto a gata se enroscava nos tornozelos dela.

— Sr. Atkins — ela conseguiu dizer num tom de voz bastante calmo.

— Espero que tenha dormido bem. — Ele caminhou até a mesa para ficar perto dela. — A tempestade não a manteve acordada?

— Não.

Para um homem que tinha acabado de correr oito quilômetros, ele estava notavelmente revigorado. Ryan lembrou-se dos braços musculosos dele. Havia força neles e, é claro, vigor. Os olhos dele estavam fixos nos dela, quase avaliando. Não havia sinal da paixão refreada que sentira nele na noite anterior.

De repente, Pierce sorriu para ela e fez um gesto com a mão.

— O que vê aqui?

Ryan olhou para a mesa de novo.

— Algumas de suas ferramentas.

— Ah, srta. Swan, seus pés estão sempre no chão.

— Gosto de pensar que sim — respondeu ela, aborrecida. — O que eu deveria ver?

Ele parecia satisfeito com a resposta dela e serviu uma pequena quantidade de vinho numa taça.

— A imaginação, srta. Swan, é um dom incrível. Concorda?

— Até certo ponto.

Ele riu um pouco e lhe mostrou os cilindros vazios.

— Pode haver restrições sobre a imaginação? — Ele colocou um cilindro dentro do outro. — Não acha as possibilidades do poder da mente sobre as leis da natureza interessantes?

Pierce colocou os cilindros acima da garrafa de vinho, observando-a. Ryan estava franzindo as sobrancelhas.

— Como teoria — respondeu ela.

— Mas teoria apenas. — Pierce retirou um cilindro e colocou-o sobre a taça de vinho. Levantou o primeiro cilindro e lhe mostrou que a garrafa permanecia embaixo dele. — Não na prática.

— Não. — Ryan continuou olhando as mãos dele. Ele mal poderia sacar qualquer coisa bem debaixo de seu nariz.

— Onde está a taça, srta. Swan?

— Está aí.

Ela apontou para o segundo cilindro.

— É? — Pierce levantou o tubo. A garrafa estava embaixo dele. Com ar de frustração, Ryan olhou para o outro tubo. Pierce o levantou, revelando a taça parcialmente cheia. — Eles parecem ter achado a teoria mais viável — declarou ele, e colocou os cilindros de volta no lugar.

— Muito engenhoso — disse ela, irritada por estar a centímetros de distância e não ter visto o truque.

— Gostaria de um pouco de vinho, srta. Swan?

— Não, eu...

Mesmo enquanto ela falava, Pierce levantou o cilindro. Ali, onde ela tinha acabado de ver a garrafa, estava a taça. Encantada, mesmo a contragosto, ela riu.

— O senhor é muito bom, sr. Atkins.

— Obrigado.

Ele disse isso de modo tão sóbrio que Ryan olhou novamente para ele. Seus olhos estavam calmos e pensativos. Intrigada, ela inclinou a cabeça.

— Suponho que não vai me dizer como fez.
— Não.
— Achei que não. — Ela levantou as algemas. A mala ao pé do palco estava, por enquanto, esquecida. — Fazem parte do seu número também? Parecem reais.
— São bem reais — ele lhe disse. Estava sorrindo de novo, satisfeito por ela ter sorrido. Ele sabia que era um som que poderia ouvir com nitidez sempre que se lembrasse dela.
— Não têm chave — salientou Ryan.
— Não preciso.
Ela passou as algemas de uma mão para a outra enquanto o examinava.
— O senhor é muito seguro de si.
— Sou. — O ar de diversão na palavra fez com que ela imaginasse que rumo seus pensamentos tinham tomado. Ele esticou as mãos, colocando os pulsos próximos a ela. — Vamos lá — disse ele. — Coloque-as em mim.
Ryan hesitou apenas por um momento. Queria vê-lo fazer o truque bem na frente dos seus olhos.
— Se não conseguir soltá-las — disse ela enquanto fechava as algemas —, vamos sentar e conversar sobre esses contratos. — Olhou para ele. Os olhos dela dançavam. — Quando tiver assinado, poderemos mandar buscar um chaveiro.
— Acho que não precisaremos de um.
Pierce levantou as algemas, que pendiam abertas.
— Ah, mas como... — Ela parou de falar e balançou a cabeça. — Não, foi rápido demais — insistiu ela, pegando-as dele novamente. Pierce gostou da maneira como sua expressão passou da surpresa para a dúvida. Era exatamente o que ele esperava dela. — Mandou fazê-las. — Ela estava virando as algemas, examinando de perto. — Deve haver um botão ou algo do tipo.
— Por que não experimenta? — sugeriu ele e colocou as algemas nos pulsos dela antes que Ryan pudesse recusar. Pierce esperou para ver se ela ficaria com raiva. Ela riu.
— Eu me meti nessa. — Ryan fez uma careta bem-humorada para ele e se concentrou nas algemas. Ela torceu os pulsos. — Certamente,

parecem bem reais. — Embora ela tentasse diferentes ângulos, o aço permanecia fechado. — Se houver um botão — murmurou ela —, teria que deslocar o pulso primeiro para alcançá-lo. — Ela esforçou-se mais uma vez e tentou escorregar as mãos pela abertura. — Tudo bem, você venceu — anunciou ela, desistindo. — São de verdade. — Ryan sorriu para ele. — Pode tirá-las?

— Talvez — murmurou ele, tomando seus pulsos nas mãos.

— É uma resposta reconfortante — retrucou ela, mas ambos sentiram a sua pulsação dar um salto quando o polegar dele roçou seu pulso. Pierce continuou a olhar para ela até Ryan sentir a mesma fraqueza extenuante que tinha sentido na noite anterior. — Acho — começou a dizer ela, com a voz rouca enquanto lutava para torná-la clara. — Acho melhor você... — A frase parou no meio quando os dedos dele seguiram a veia em seu pulso. — Não faça isso — disse ela, sem saber ao certo o que estava tentando recusar.

Sem dizer nada, Pierce levantou as mãos dela, passando-as por cima da cabeça dele, de modo que ela ficou comprimida ao seu corpo.

Ela não permitiria que isso acontecesse duas vezes. Dessa vez, protestaria.

— Não.

Ryan relutou uma vez, em vão, mas os lábios dele já estavam sobre os dela. Dessa vez, sua boca não estava tão paciente nem suas mãos tão imóveis. Pierce segurava o quadril dela enquanto sua língua forçava os lábios dela a se abrirem. Ryan lutou contra a impotência, que tinha mais a ver com suas próprias necessidades do que com as restrições em seus pulsos. Ela estava respondendo completamente. Sob a pressão dos lábios dele, os seus estavam famintos. Os dele estavam frios e firmes enquanto os dela estavam aquecidos e amolecidos. Ryan o ouviu murmurar alguma coisa quando a puxou para mais perto. *Feitiçaria*, pensou ela, tonta. Ele a estava enfeitiçando; não havia outra explicação.

Mas foi um gemido de prazer, não de protesto, que saiu dela quando as mãos de Pierce subiram até a parte lateral dos seios. Ele traçou lentos círculos de prazer antes de seus polegares escorregarem entre seus corpos para acariciar os mamilos. Ryan comprimiu-se mais, mordiscando o lábio inferior dele enquanto ansiava por mais.

As mãos dele estavam no cabelo dela, puxando sua cabeça para trás para que seus lábios tivessem controle total sobre os dela. Talvez ele fosse feiticeiro. Sua boca era inebriante. Ninguém mais a tinha feito desejar e arder apenas com um beijo.

Ryan queria tocá-lo, deixá-lo tão desesperadamente ávido quanto ela. Estava irritada com as limitações em seus pulsos e logo descobriu que suas mãos estavam livres. Seus dedos podiam acariciar o pescoço dele, tocar seu cabelo.

Depois, tão rápido quanto tinha sido capturada, ela foi solta. Pierce estava com as mãos em seus ombros, afastando-a.

Confusa, ainda ardendo, Ryan ficou olhando para ele.

— Por quê?

Pierce não respondeu por um momento. Distraidamente, acariciou seus ombros.

— Queria beijar a srta. Swan. Ontem à noite, beijei Ryan.

— Está sendo ridículo.

Ryan fez um movimento brusco para se afastar, mas as mãos dele tornaram-se repentinamente firmes.

— Não. A srta. Swan usa *tailleurs* conservadores e se preocupa com contratos. Ryan usa seda e renda por baixo e tem medo de tempestades. A combinação me fascina.

As palavras dele incomodaram-na o suficiente para tornar sua voz fria e aguda.

— Não estou aqui para fasciná-lo, sr. Atkins.

— Uma vantagem adicional, srta. Swan.

Ele sorriu e depois beijou seus dedos. Ryan retirou a mão num movimento brusco.

— Está na hora de fecharmos nosso negócio de um jeito ou de outro.

— Tem razão, srta. Swan. — Ela não gostou do tom de diversão nem do modo como ele enfatizou seu nome. Ryan descobriu que não se importava mais se ele assinasse os documentos que ela trouxera. Queria simplesmente livrar-se dele.

— Bem, então... — começou a dizer ela e curvou-se para pegar a maleta.

Pierce colocou a mão sobre a dela. Os dedos dele se fecharam gentilmente.

— Estou disposto a assinar os contratos com alguns ajustes.

Ryan forçou-se a relaxar. Ajustes normalmente significavam dinheiro. Ela negociaria com ele e tudo estaria acabado.

— Terei prazer em discutir quaisquer alterações que possa querer.

— Está bem. Vou querer que trabalhe comigo diretamente. Quero que cuide da parte de Swan na produção.

— Eu? — Os dedos de Ryan apertaram a alça de novo. — Não me envolvo na parte de produção. Meu pai...

— Não vou trabalhar com seu pai, srta. Swan, nem com qualquer outro produtor. — Sua mão ainda estava suavemente fechada sobre a dela, com os contratos entre eles. — Vou trabalhar com você.

— Sr. Atkins, aprecio...

— Precisarei de você em Vegas em duas semanas.

— Em Vegas? Por quê?

— Quero que assista às minhas apresentações de perto. Não há nada mais valioso para um ilusionista do que um cético. Vai me manter afiado. — Ele sorriu. — É muito crítica. Gosto disso.

Ryan deu um suspiro. Ela pensava que crítica aborrecia, não que atraía.

— Sr. Atkins, sou uma mulher de negócios, não uma produtora.

— Disse-me que era boa em detalhes — lembrou-lhe ele de forma amável. — Se vou quebrar minha própria regra e me apresentar na televisão, quero alguém como você cuidando dos detalhes. Para ser mais específico — continuou ele —, quero *você* cuidando dos detalhes.

— Não está sendo prático, sr. Atkins. Tenho certeza que seu agente concordaria. Há várias pessoas na Swan Productions mais qualificadas para produzir seu especial. Não tenho experiência nesta parte do negócio.

— Srta. Swan, quer que eu assine os contratos?

— Sim, claro, mas...

— Então faça as alterações — disse ele simplesmente. — E esteja no Caesars Palace em duas semanas. Tenho uma semana de apresentações. — Ele se abaixou e pegou a gata nos braços. — Estou ansioso para trabalhar com você.

Capítulo 4

Quando entrou no seu escritório na Swan Productions quatro horas depois, Ryan ainda estava furiosa. Ele era muito audacioso, concluiu. Ela o colocaria em primeiro lugar em termos de audácia. Achou que a tinha encurralado. Ele, realmente, achava que era o único grande talento que ela poderia contratar para a Swan Productions? Quanta presunção! Ryan largou a maleta em cima da mesa e afundou na cadeira. Pierce Atkins ia ter uma surpresa.

Recostando-se na cadeira, Ryan cruzou os braços e esperou até que estivesse suficientemente calma para pensar. Pierce não conhecia Bennett Swan, que gostava de administrar tudo do seu jeito. Os conselhos poderiam ser levados em consideração, discutidos, mas ele nunca seria influenciado numa decisão importante. Para falar a verdade, refletiu, ele muito provavelmente iria na direção contrária da que fosse forçado. Não apreciava que lhe dissessem quem ele deveria colocar a cargo de uma produção. Principalmente, pensou Ryan, pesarosa, quando essa pessoa era sua filha.

Haveria uma explosão quando ela contasse a seu pai sobre as condições de Pierce. Seu único arrependimento era que o mágico não estaria lá para sentir o impacto. Ryan encontraria outro grande artista para contratar, e Pierce poderia voltar a fazer garrafas de vinho desaparecer.

Ficou olhando para o vazio, refletindo. A última coisa que ela queria fazer era se preocupar com ensaios e horários de filmagem — e todos os milhares de outros pequenos detalhes envolvidos na produção de um programa de uma hora —, para não mencionar toda a paranoia de ele ser transmitido ao vivo. O que sabia sobre lidar com problemas técnicos, regras de sindicato e montagem de set? Produzir era um trabalho complicado. Ela nunca teve vontade de participar dessa parte do negócio. Estava bem satisfeita com a papelada e os detalhes de pré-produção.

Inclinou-se à frente mais uma vez, com os cotovelos sobre a mesa, envolveu o queixo com as mãos. Como é uma idiotice, refletiu, mentir para si mesma. E como seria gratificante conduzir um projeto do começo ao fim. Ela tinha ideias — tantas ideias que estavam sempre sendo rejeitadas por detalhes legais.

Sempre que tentara convencer seu pai a lhe dar uma chance no lado criativo, ela encontrou um obstáculo. Não tinha experiência; era jovem demais. Ele, convenientemente, se esquecia que ela participara do negócio a vida toda e completaria 27 anos no mês seguinte.

Um dos diretores mais talentosos do ramo tinha feito um filme para a Swan e conquistara cinco Oscars. *E ele tinha 26 anos!*, lembrou-se Ryan, indignada. Como Swan poderia saber se suas ideias eram preciosas ou um lixo se não as ouvia? Tudo que ela precisava era de uma oportunidade.

Não, ela precisava admitir que nada lhe seria mais conveniente do que conduzir um projeto desde a assinatura do contrato até a conclusão. Mas não esse. Dessa vez, admitiria seu fracasso sem problemas e jogaria os contratos e Pierce Atkins de volta para o colo de seu pai. Havia brio suficiente dentro dela para reagir ao receber um ultimato.

Altere os contratos. Com um resfolegar de escárnio, Ryan abriu a maleta. *Ele superestimou suas chances*, pensou, *e agora vai...* Ela parou, lançando um olhar fixo para a pilha de documentos arrumados dentro da maleta. Sobre eles estava outra rosa de caule comprido.

— Mas como foi que ele...

A própria risada de Ryan a interrompeu. Ela recostou-se e girou a flor sob o nariz. Ele era esperto, pensou, inalando o aroma. Muito esperto. *Mas que diabo era ele? O que o fazia agir assim?* Sentada no escritório organizado e feito sob medida para ela, Ryan decidiu que queria mesmo saber. Talvez valesse a pena uma explosão e um pouco de vista grossa para descobrir.

Havia poderes em um homem que falava baixinho e podia controlar os outros apenas com os olhos. *Camadas*, ela pensou. Quantas camadas teria que remover para chegar ao cerne dele? Seria arriscado, concluiu, mas... Balançando a cabeça, Ryan lembrou-se que, de qualquer modo, não ia conseguir a oportunidade para descobrir. Swan o contrataria segundo suas condições ou o esqueceria. Retirou os contratos e fechou a maleta. Pierce Atkins era problema do pai dela agora. Mesmo assim, ela continuou segurando a rosa.

A campainha do telefone lembrou-lhe que ela não tinha tempo para sonhar acordada.

— Sim, Barbara.

— O chefe quer vê-la.

Ryan fez uma careta para o aparelho de comunicação interna. Swan saberia que ela havia voltado no momento que ela passasse pelo segurança no portão.

— Já estou indo — concordou ela. Largou a rosa sobre a mesa e levou os contratos.

Bennett Swan fumava um charuto cubano caro. Gostava de coisas caras. Mais do que isso, ele gostava de saber que seu dinheiro podia comprá-las. Se havia dois ternos com o mesmo corte e o mesmo acabamento, Swan escolhia o terno com a etiqueta de preço mais alto. Era uma questão de orgulho.

Os prêmios em seu escritório também eram uma questão de orgulho. A Swan Productions era Bennett Swan. Os Oscars e os Emmys provavam que ele era um sucesso. As pinturas e esculturas que seu corretor de arte o tinha aconselhado a comprar mostravam ao mundo que ele conhecia o valor do sucesso.

Ele amava a filha. Teria ficado chocado se alguém tivesse dito o contrário. Não havia dúvida em sua cabeça que era um excelente pai. Tinha sempre dado a Ryan tudo que seu dinheiro podia comprar: as melhores roupas, uma babá irlandesa quando sua mãe morreu, uma educação de alto custo, depois, um emprego confortável quando ela insistiu em trabalhar.

Tinha sido forçado a admitir que a menina estava mais inteirada do que ele esperara. Ryan possuía um cérebro afiado e um jeito especial de eliminar o supérfluo e chegar ao cerne de uma questão. Provou para ele que o dinheiro gasto na Suíça tinha sido bem utilizado.

Não que ele se arrependesse de dar à filha a melhor educação. Swan esperava resultados.

Ele observou a fumaça formar uma espiral a partir da ponta do charuto. Ryan havia valido a pena. Gostava muito da filha.

Ryan bateu na porta e entrou quando ele a chamou. Observou-a cruzar o espaço amplo coberto com um tapete espesso até sua mesa. *Uma menina bonita*, pensou. *Parece com a mãe.*

— Queria me ver?

Ela esperou o sinal para se sentar. Swan não era um homem grande, mas tinha compensado sua falta de tamanho com expansividade. O movimento amplo do seu braço indicou a ela que se sentasse. O rosto dele ainda era bonito, do modo vigoroso e natural que as mulheres achavam atraente. Tinha adquirido algum peso nos últimos cinco anos e perdido um pouco de cabelo. Mas, essencialmente, estava com a mesma aparência. Olhando para ele, Ryan sentiu a onda familiar de amor e frustração. Ela conhecia bem demais os limites da afeição do pai por ela.

— Está se sentindo melhor? — perguntou ela, notando que sua luta contra a gripe não havia deixado nenhuma marca da enfermidade nele. Seu rosto tinha um tom rosado saudável, seus olhos estavam claros.

Com outro gesto amplo, ele deixou a pergunta de lado. Swan era impaciente com doenças, principalmente com a própria. Não tinha tempo para isso.

— O que achou de Atkins? — perguntou ele no momento que Ryan se acomodou. Era uma das pequenas concessões feitas a ela, perguntar sua opinião sobre outra pessoa. Como sempre, Ryan pensou com cuidado antes de responder.

— Ele é um homem incomparável — ela começou a dizer num tom que teria feito Pierce sorrir. — Tem um talento extraordinário e uma personalidade muito forte. Não tenho certeza se um é a causa do outro.

— Excêntrico?

— Não, não no sentido que faça coisas para passar uma imagem excêntrica. — Ryan franziu as sobrancelhas ao pensar na casa dele, no estilo de vida. *Aparências.* — Acho que ele é um homem muito profundo e que vive exatamente como quer. A profissão dele é mais que uma carreira. Ele se dedica a ela como um artista se dedica à pintura.

Swan concordou com a cabeça e soltou uma nuvem de fumaça.

— Ele é bilheteria quente.

Ryan sorriu e mexeu nos contratos.

— Sim, porque, provavelmente, é o melhor no que faz; além do mais, é dinâmico no palco e um pouco misterioso fora dele. Parece ter trancado a parte inicial da vida e jogado a chave fora. O público adora um mistério e ele lhes dá isso.

— E os contratos?

Aí vem, pensou Ryan, se preparando.

— Ele está disposto a assinar, mas com certas condições. Quer dizer, ele...

— Ele me falou das condições — interrompeu Swan.

O discurso preparado com cuidado por Ryan foi para o espaço.

— Ele te contou?

— Telefonou algumas horas atrás. — Swan retirou o charuto da boca. O diamante no dedo dele reluziu quando ele olhou para a filha. — Ele disse que você é cética e detalhista. E é o que quer.

— Simplesmente, não acredito que os truques dele sejam nada mais que uma hábil encenação — disse Ryan, chateada por Pierce ter falado com Swan antes dela. Ela sentiu-se pouco à vontade, como se estivesse jogando xadrez novamente. Ele já a tinha vencido uma vez. — Ele tem o hábito de incorporar sua mágica ao dia a dia. É eficaz, mas perturba numa reunião de negócios.

— Parece que insultá-lo resolveu o problema — comentou Swan.

— Não o insultei! — Ryan levantou-se com os contratos na mão. — Passei 24 horas naquela casa com aves falantes e gatos pretos e não o insultei. Fiz tudo que pude para colocar a assinatura dele nesses contratos, menos deixá-lo me serrar ao meio. — Ela largou os papéis na mesa do pai. — Há limites até onde irei para satisfazer os caprichos de um artista, não importa o quanto ele seja bom de bilheteria.

Swan uniu os dedos e a observou.

— Ele também disse que não se importava com o seu temperamento. Não gosta de ficar entediado.

Ryan conteve as próximas palavras que lhe vieram à mente. Com cuidado, ela sentou-se novamente.

— Tudo bem, o senhor me contou o que ele lhe disse. O que o senhor disse a ele?

Swan demorou a responder. Era a primeira vez que alguém ligado aos negócios tinha feito referência ao temperamento de Ryan. Swan sabia disso e também sabia que ela mantinha esse temperamento escrupulosamente sob controle no trabalho. Ele decidiu deixar passar.

— Disse-lhe que teríamos prazer em atendê-lo.

— O senhor... — Ryan engasgou com a palavra e tentou de novo. — O senhor concordou? Por quê?

— Nós o queremos. Ele quer você.

Sem explosão, pensou ela, confusa. Que feitiço Pierce tinha usado para conseguir isso? O que quer que tenha sido, disse a si mesma de modo sombrio, ela não estava sob o seu efeito. Levantou-se de novo.

— Posso opinar quanto a isso?

— Não enquanto trabalhar para mim. — Swan lançou um olhar vago para os contratos. — Você está louca para fazer algo desse tipo há alguns anos — lembrou-lhe ele. — Estou lhe dando sua chance. E — ele então levantou o olhar e encarou Ryan — estarei observando-a de perto. Se fizer besteira, eu a tiro da produção.

— Não vou fazer besteira — retrucou ela, mal controlando uma nova onda de fúria. — Será o melhor especial que a Swan já produziu.

— Faça com que seja — alertou ele. — E não ultrapasse o orçamento. Cuide das alterações e envie os novos contratos para o agente dele. Quero que estejam assinados antes do final da semana.

— Estarão.

Ryan pegou os papéis antes de caminhar para a porta.

— Atkins disse que vocês dois trabalhariam bem juntos — acrescentou Swan enquanto ela abria a porta. — Ele disse que estava nas cartas.

Ryan lançou um olhar furioso por cima do ombro antes de sair, batendo a porta com força ao passar.

Swan sorriu um pouco. Ela realmente se parecia com a mãe, ele pensou, e depois apertou um botão para chamar a secretária. Tinha outro compromisso.

Se havia uma coisa que Ryan detestava, era ser manipulada. Depois de se acalmar e já de volta ao escritório, ocorreu-lhe com que habilidade Pierce e o pai dela a haviam manipulado. Ela não se importava tanto com Swan, ele levou anos para descobrir que insinuar que ela talvez não fosse capaz de lidar com algo era a maneira certa de fazer com que ela cuidasse do assunto. Pierce era outro caso. Ele não a conhecia, ou não deveria. No entanto, ele a manipulara, sutilmente, como um especialista, da mesma forma que fez com os cilindros vazios. *A mão é mais rápida que os olhos.* Conseguiu o que queria. Ryan rascunhou os novos contratos e ficou remoendo.

Ela havia ido além daquele pequeno ponto e conseguira o que queria também. Decidiu olhar tudo de um novo ângulo. A Swan Productions teria Pierce para três especiais no horário nobre e ela, a chance de produzir.

Ryan Swan, produtora executiva. Ela sorriu. Realmente gostava da sonoridade do título. Repetiu-o para si mesma e sentiu o primeiro sinal de excitação. Pegou a agenda, começou a calcular com que rapidez poderia finalizar os pequenos detalhes e dedicar-se à produção.

Ryan tinha trabalhado na papelada por uma hora quando o telefone a interrompeu.

— Ryan Swan — respondeu ela de modo apressado, apoiando o fone no ombro enquanto continuava a escrever.

— Srta. Swan, eu a interrompi.

Ninguém mais a chamava de *srta. Swan* daquela maneira. Ryan parou a frase que estava escrevendo.

— Tudo bem, sr. Atkins. O que posso fazer pelo senhor?

Ele riu, aborrecendo-a instantaneamente.

— O que é tão engraçado?

— Tem uma maravilhosa voz de negócios, srta. Swan — disse ele com o traço de humor ainda presente. — Pensei que, com o seu primor para os detalhes, gostaria de saber as datas em que precisarei dos seus serviços em Vegas.

— Os contratos ainda não estão assinados, sr. Atkins — disse ela, cautelosa.

— Estreio no dia 15 — disse ele, como se ela não tivesse falado. — Mas os ensaios começam no dia 12. Gostaria que participasse deles.

— Ryan franziu as sobrancelhas, anotando as datas. Ela quase podia vê-lo sentado na biblioteca, segurando a gata no colo. — Encerro no dia 21. — Ryan lembrou que dia 21 era o aniversário dela.

— Tudo bem. Podemos começar a esboçar a produção do especial na próxima semana.

— Bom. — Pierce parou por um momento. — Será que poderia convidá-la para uma coisa, srta. Swan?

— Poderia — disse Ryan com cautela.

Pierce sorriu e coçou as orelhas de Circe.

— Tenho um compromisso em Los Angeles no dia 11. Viria comigo?

— No dia 11? — Ryan mudou o telefone de posição e virou as páginas do calendário de mesa. — A que horas?

— Duas horas da tarde.

— Sim, tudo bem. — Ela anotou. — Onde devo encontrá-lo?

— Eu a pegarei... à uma e meia.

— Uma e meia, sr. Atkins. — Ela hesitou e pegou a rosa sobre a mesa. — Obrigada pela rosa.

— De nada, Ryan.

Pierce desligou, depois ficou sentado por um momento perdido em pensamentos. Ele imaginou que Ryan estava segurando a rosa até agora. Ela sabia que sua pele era tão macia quanto as pétalas? Ele ainda podia sentir claramente sua textura na ponta dos dedos, e os passou pelas costas da gata.

— O que você achou dela, Link?

O grandalhão continuou a colocar os livros de volta no lugar e não se virou.

— Ela tem uma risada agradável.

— É verdade. Eu também achei.

Pierce conseguia se lembrar exatamente do tom; tinha sido inesperada, um contraste forte com a expressão séria dela no momento anterior. Tanto sua risada quanto sua paixão o haviam surpreendido. Ele se lembrou do modo como sua boca tinha se aquecido sob a dele. Não conseguira trabalhar de jeito nenhum aquela noite inteira, pensando nela lá em cima na cama apenas com um pequeno pedaço de seda a cobrindo.

Não gostava que atrapalhassem sua concentração, mas ele a estava trazendo de volta. O instinto, lembrou-se. Ele ainda estava seguindo seu instinto.

— Ela disse que gostou da minha música — murmurou Link, ainda mexendo nos livros.

Pierce levantou os olhos, organizando os pensamentos. Sabia quanto Link era sensível em relação à sua música.

— Ela realmente gostou muito. Achou que a melodia que você deixou no piano era bonita.

Link balançou a cabeça afirmativamente, sabendo que Pierce não lhe diria nada que não fosse verdade.

— O senhor gosta dela, não é?

— Gosto — respondeu Pierce distraidamente enquanto acariciava a gata. — Creio que sim.

— Acho que quer fazer essa coisa da televisão.

— É um desafio — respondeu Pierce.

Link se virou.

— Pierce?

— Humm?

Ele hesitou em perguntar, com medo que já soubesse a resposta.

— Vai fazer a nova fuga em Las Vegas?

— Não. — Pierce franziu as sobrancelhas, e Link sentiu uma onda de alívio. Pierce lembrou-se que estava tentando trabalhar nessa fuga em especial na noite em que Ryan ficou na casa dele, no quarto do final do corredor. — Não, não preparei tudo ainda. — O alívio de Link durou pouco. — Mas vou usá-la para o especial.

— Não gosto disso. —falou Link rapidamente, fazendo com que Pierce levantasse o olhar de novo. — Muitas coisas podem dar errado.

— Nada vai dar errado, Link. Só preciso de mais prática.

— O tempo é muito curto — insistiu Link, agindo de forma atípica ao argumentar. — Poderia fazer algumas mudanças ou apenas adiá-la. Não gosto disso, Pierce — disse ele novamente, sabendo que era inútil.

— Você se preocupa demais, Link — garantiu Pierce. — Vai dar tudo certo. Só tenho que resolver algumas coisas antes.

Mas ele não estava pensando nisso. Estava pensando em Ryan.

Capítulo 5

Ryan pegou-se observando o relógio. *Uma e quinze*. Os dias antes do dia 11 tinham passado rapidamente. Ela estivera até o pescoço com papelada, trabalhando dez horas por dia tentando esvaziar a mesa antes da viagem para Las Vegas. Queria o caminho livre e nada de problemas contratuais na cabeça assim que começasse a trabalhar no especial. Compensaria a falta de experiência dedicando todo o tempo e atenção ao projeto.

Ainda tinha algo a provar — para si, para o pai e, agora, para Pierce. Havia algo mais em Ryan Swan que contratos e cláusulas.

Sim, os dias tinham passado depressa, ela refletiu, *mas esta última hora... uma e dezessete.* Ryan retirou uma pasta do fichário e a abriu. Estava observando o relógio como se estivesse esperando um encontro e não um compromisso de negócios. Isso era ridículo. Mesmo assim, quando ouviu a batida, sua cabeça levantou rapidamente e ela esqueceu as páginas caprichosamente digitadas na pasta. Afastando uma onda de expectativa, Ryan respondeu com calma.

— Sim, entre.

— Olá, Ryan.

Ela lutou contra a decepção quando Ned Ross entrou na sala. Ele lhe lançou um sorriso reluzente.

— Olá, Ned.

Ned Ross, 32 anos, louro e atraente, com uma elegância californiana informal. Ele deixava o cabelo formar cachos livremente e usava calças caras de marca, com discretas camisas de seda. Nada de gravata, Ryan observou. Ia contra sua imagem, tal como o cheiro sutil da leve água de colônia combinava com ela. Ned conhecia os efeitos de seu charme, e usava isso objetivamente.

Ryan repreendeu-se sem muito entusiasmo pela crítica e retribuiu o sorriso, muito mais frio que o dele.

Ned era o segundo assistente do pai dela. Por vários meses, até algumas semanas atrás, ele tinha sido a companhia constante de Ryan. Ele a levara para jantar, dera-lhe algumas aulas emocionantes de surfe, mostrara-lhe a beleza da praia ao pôr do sol e fez com que ela acreditasse que era a mulher mais atraente e desejável que ele conhecera. Foi uma decepção dolorosa quando ela descobriu que ele estava mais interessado em conquistar a filha de Bennett Swan do que a própria Ryan.

— O chefe queria que eu verificasse com você como estão as coisas antes que partisse para Vegas. — Ele sentou-se no canto da mesa, depois se inclinou para dar-lhe um leve beijo. Ainda tinha planos com a filha do chefe. — E eu queria me despedir.

— Todo o meu trabalho está pronto —disse Ryan, mexendo na pasta . Ainda era difícil acreditar que o rosto atraente e bronzeado e o sorriso amável escondiam um mentiroso ambicioso. — Eu mesma pretendia colocar o meu pai a par.

— Ele está ocupado — disse-lhe Ned calmamente e pegou a pasta para dar uma olhada. — Acabou de ir para Nova York. Algo sobre uma filmagem externa que ele quer cuidar pessoalmente. Só voltará no final da semana.

— Ah! — Ryan olhou para as mãos. Ele poderia ter reservado um instante para ligar para ela, pensou, depois suspirou. Quando tinha feito isso? E quando ela deixaria de esperar que ele o fizesse? — Bem, pode lhe dizer que cuidei de tudo. — Ela pegou a pasta de volta e colocou-a sobre a mesa novamente. — Tenho um relatório escrito.

— Sempre eficiente. — Ned sorriu para ela de novo, mas não fez menção de ir embora. Sabia muito bem que tinha dado um passo em falso com Ryan e havia terreno a recuperar. — Então, como se sente como produtora?

— Estou ansiosa.

— Esse Atkins! — continuou Ned, ignorando a frieza. — Ele é um sujeito um pouco estranho, não é?

— Não o conheço suficientemente bem para dizer — disse Ryan de forma evasiva. Ela descobriu que não queria falar sobre Pierce com Ned. O dia que tinha passado com ele era algo pessoal. — Tenho um compromisso em alguns minutos, Ned — continuou ela, levantando-se. — Então, se você...

— Ryan. — Ned pegou as mãos dela como fazia quando namoraram. O gesto sempre a fizera sorrir. — Senti muita saudade de você nessas últimas semanas.

— Temos nos visto várias vezes, Ned.

Ryan permitiu que suas mãos repousassem sem energia nas dele.

— Ryan, você sabe o que quero dizer. — Ele massageou os pulsos dela suavemente, mas não sentiu nenhum aumento em sua pulsação. A voz dele ficou suave, persuasiva. — Você ainda está com raiva de mim por fazer aquela sugestão tola.

— Sobre usar minha influência com meu pai para que chefie a produção de O'Mara? — Ryan levantou uma das sobrancelhas. — Não, Ned — disse ela tranquilamente. — Não estou com raiva de você. Ouvi dizer que Bishop ganhou o cargo — acrescentou ela, incapaz de resistir ao pequeno escárnio. — Espero que não esteja desapontado demais.

— Isso não é importante — respondeu ele, escondendo seu aborrecimento com um encolher de ombros. — Deixe-me levá-la para jantar hoje à noite. — Ned puxou-a um pouquinho mais para perto, e Ryan não resistiu. *Até onde*, ela se perguntou, *ele iria?* — Aquele lugarzinho francês de que você gosta tanto. Poderíamos dar um passeio pela costa e conversar.

— Não lhe passa pela cabeça que eu posso ter um encontro?

A pergunta o impediu de abaixar sua boca até a dela. Não lhe ocorrera que ela estivesse se encontrando com alguém. Tinha certeza que ela ainda era louca por ele. Gastara muito tempo e esforço para isso. Concluiu que ela queria ser persuadida.

— Cancele — murmurou ele, e beijou-a suavemente, sem notar que seus olhos permaneciam abertos e frios.

— Não.

Ele não tinha esperado uma recusa seca e sem emoção. Sabia por experiência própria que as emoções de Ryan eram facilmente manipuláveis. Estava disposto a desapontar uma diretora-assistente muito amiga para estar com Ryan de novo. Desprevenido, ele levantou a cabeça para olhar para ela.

— Vamos, Ryan, não seja...

— Com licença. — Ryan retirou as mãos das de Ned e olhou em direção à porta. — Srta. Swan — disse Atkins com um aceno.

Ela ficou corada e furiosa por ter sido pega numa situação constrangedora no próprio escritório. Por que não tinha dito a Ned para fechar a porta quando entrou?

— Ned, este é Pierce Atkins. Ned Ross é assistente do meu pai.

— Sr. Ross.

Pierce entrou na sala, mas não estendeu a mão.

— É um prazer conhecê-lo, sr. Atkins. — Ned exibiu um sorriso. — Sou um grande fã.

— É?

Pierce lançou-lhe um sorriso educado que fez com que Ned se sentisse como se tivesse sido jogado numa sala muito fria e muito escura. Os olhos dele vacilaram, e então ele se virou novamente para Ryan.

— Divirta-se em Las Vegas, Ryan. — Ele já estava a caminho da porta. — Foi bom tê-lo conhecido, sr. Atkins.

Ryan observou a saída apressada de Ned com as sobrancelhas franzidas. Ele, certamente, tinha perdido o estilo despreocupado que era sua característica.

— O que fez com ele? — perguntou ela quando a porta se fechou.

Pierce levantou uma das sobrancelhas ao caminhar até ela.

— O que acha que fiz?

— Não sei — murmurou Ryan. — Mas, o que quer que tenha sido, jamais faça comigo.

— Suas mãos estão frias, Ryan. — Ele tomou-as nas dele. — Por que não lhe disse simplesmente para ir embora?

Ele a irritava quando a chamava de Ryan. Ele a irritava quando a chamava de srta. Swan no tom ligeiramente zombeteiro que usava. Ryan olhou para suas mãos unidas.

— Eu disse, quer dizer, eu ia... — Ela se conteve, surpresa por estar gaguejando uma explicação. — É melhor irmos se quiser chegar ao compromisso, sr. Atkins.

— Srta. Swan. — Os olhos de Pierce estavam cheios de humor quando ele levou as mãos dela aos lábios. Não estavam mais frias. — Senti falta desse rosto sério e desse tom profissional. — Deixando-a sem palavras, Pierce tomou o braço dela e conduziu-a para fora da sala.

Assim que se acomodaram no carro dele e entraram no fluxo do tráfego, Ryan tentou manter uma conversa informal. Se iam trabalhar juntos, ela devia estabelecer o relacionamento correto e depressa. *Peão da rainha na casa dois do bispo*, ela pensou, lembrando-se do jogo de xadrez.

— Que tipo de compromisso tem esta tarde?

Pierce parou no sinal vermelho e olhou rapidamente para ela. Os olhos dele encontraram-se com os de Ryan com uma intensidade breve, porém firme.

— Um compromisso é um compromisso — disse ele de forma enigmática. — Você não gosta do assistente do seu pai.

Ryan ficou tensa. Ele atacou, ela defendeu.

— Ele é bom no que faz.

— Por que mentiu para ele? — perguntou Pierce em tom suave quando o sinal abriu. — Poderia ter dito que não queria jantar com ele em vez de fingir que tinha um encontro.

— O que o faz pensar que estava fingindo? — perguntou Ryan de modo impulsivo, com o orgulho ferido na voz.

Pierce engatou a segunda para entrar numa curva.

— Simplesmente me perguntei por que você achava que tinha de mentir.

Ryan não se importava com a tranquilidade dele.

— É assunto meu, sr. Atkins.

— Acha que poderia deixar de lado o "sr. Atkins" esta tarde?

Pierce entrou num pátio e estacionou. Depois, virando a cabeça, sorriu para ela. Ele ficava charmoso demais quando sorria daquele jeito.

— Talvez — concordou ela. — Esta tarde. Pierce é seu nome verdadeiro?

— Pelo que sei.

Dito isso, ele saiu do carro. Quando Ryan saiu, ela notou que estavam no estacionamento do Hospital Geral de Los Angeles.

— O que estamos fazendo aqui?

— Tenho uma apresentação a fazer. — Pierce tirou do porta-malas uma maleta preta, não muito diferente da que talvez usasse um médico. — Instrumentos de trabalho —disse ele a Ryan enquanto ela fazia um exame curioso do objeto. — Nem seringa nem bisturi — prometeu ele, e estendeu a mão para ela. Seus olhos pacientes encaravam os dela, que hesitavam. Ryan aceitou sua mão, e juntos passaram pela porta lateral.

Onde quer que Ryan tivesse esperado passar a tarde, não tinha sido na ala de pediatria do Hospital Geral de Los Angeles. O que quer que tivesse esperado de Pierce Atkins, não tinha sido uma confraternização com crianças. Após os primeiros cinco minutos, Ryan viu que ele lhes oferecia mais que uma apresentação e um monte de truques. Ele se doava.

Ora, ele é um homem bonito, ela percebeu um tanto surpresa. Ele se apresenta em Vegas por 35 dólares por cabeça, lota o Covent Garden, mas vem aqui para divertir um grupo de crianças. Não havia repórteres para observar o trabalho humanitário dele e noticiá-lo nas colunas do dia seguinte. Ele estava dedicando seu tempo e seu talento simplesmente para fazer as crianças felizes. Ou talvez, de forma mais precisa, pensou, para aliviar a infelicidade delas.

Esse foi o momento, embora ela não tenha percebido, em que Ryan se apaixonou.

Ela observou quando ele passou uma bola pelos dedos num movimento contínuo. Ryan estava tão fascinada quanto as crianças. Com um rápido movimento da mão, a bola desaparecia e era retirada da orelha de um menino, que gritava encantado.

Os ilusionismos dele não eram sofisticados, pequenos truques que um amador poderia ter feito. A pediatria estava um alvoroço, com gritos sufocados, risadinhas e aplausos. Obviamente, isso significava mais para Pierce que a aprovação estrondosa que ouvia no palco após um complicado truque de mágica. Suas raízes estavam ali, entre as crianças. Ele nunca tinha se esquecido disso. Lembrava-se muito bem do cheiro de um quarto de doente e do confinamento de um leito de hospital. O tédio, ele pensou, poderia ser a doença mais debilitante ali.

— Vocês notarão que trouxe comigo uma linda assistente — ressaltou Pierce. Ryan levou um tempo para perceber que ele estava falando dela. Os olhos dela se arregalaram surpresos, mas ele apenas sorriu. — Nenhum mágico viaja sem uma. Ryan.

Ele esticou a mão, com a palma para cima. Entre risos e aplausos, ela não teve escolha a não ser juntar-se a ele.

— O que está fazendo? — perguntou ela num rápido sussurro.

— Tornando-a uma estrela — disse ele calmamente antes de se virar de novo para a plateia de crianças nos leitos e nas cadeiras de roda. — Ryan vai lhes contar que mantém o lindo sorriso bebendo três copos de leite por dia. Não é verdade, Ryan?

— Ah... sim. — Ela olhou em volta para os rostinhos ansiosos. — Sim, é verdade.

O que ele está fazendo? Ela nunca vira tantos olhos grandes e curiosos voltados para ela.

— Tenho certeza que todos aqui sabem da importância de beber leite.

A resposta veio por meio de concordâncias sem entusiasmo e alguns gemidos abafados. Pierce parecia surpreso quando enfiou a mão na maleta preta e retirou um copo já pela metade com um líquido branco. Ninguém questionou por que ele não tinha derramado.

— Vocês todos bebem leite, não bebem? — Houve risadas dessa vez, juntamente com mais gemidos. Balançando a cabeça, Pierce retirou um jornal e começou a formar um funil com ele. — Isso é um negócio muito complicado. Não sei se consigo fazer, a não ser que todo mundo prometa beber leite hoje à noite.

Imediatamente surgiu um coro de promessas. Ryan viu que ele era tanto o Flautista de Hamelin quanto mágico, tanto psicólogo quanto artista. Talvez não fizesse diferença. Notou que Pierce a estava observando com uma das sobrancelhas levantadas.

— Ah, eu prometo — disse ela de forma agradável, e sorriu. Estava tão fascinada quanto as crianças.

— Vamos ver o que acontece — sugeriu ele. — Você acha que consegue colocar o leite daquele copo aqui? — perguntou ele a Ryan, passando-lhe o copo. — Devagar — alertou ele, piscando para a plateia. — Não queremos derramar. É leite mágico, vocês sabem. O único que os mágicos bebem.

Pierce pegou a mão dela e guiou-a, segurando a parte superior do funil logo acima do nível dos olhos. Sua mão estava quente e firme. Pairava em volta dele um aroma que ela não conseguia identificar. Era do campo, da floresta. Não era pinheiro, concluiu, mas algo mais escuro, mais profundo, mais próximo da terra. Sua reação a ele foi inesperada e indesejada. Ela tentou se concentrar em segurar o copo diretamente acima da abertura do funil. Algumas gotas de leite pingaram pelo fundo.

— Onde você compra leite mágico? — uma das crianças quis saber.

— Ah, não se pode comprar — disse Pierce com ar concentrado. — Tenho que levantar muito cedo e jogar um feitiço numa vaca. Aí, agora, está bom. — Suavemente, Pierce jogou o copo vazio de volta na maleta. — Agora, se tudo saiu bem... — Ele parou e olhou dentro do funil com as sobrancelhas franzidas. — Era o meu leite, Ryan — disse ele com uma ponta de censura. — Poderia ter tomado o seu depois.

Quando ela ia falar, ele abriu o funil. Automaticamente, ela ofegou e recuou para não se molhar. Mas o funil estava vazio. As crianças gritaram encantadas enquanto Ryan olhava surpresa para ele.

— Ela ainda é bonita — disse ele à plateia enquanto beijava a mão de Ryan. — Mesmo sendo gulosa.

— Eu mesma despejei o leite — declarou ela mais tarde enquanto eles andavam pelo corredor do hospital até o elevador. — Estava pingando pelo jornal. Eu *vi*.

Pierce conduziu-a para o elevador.

— Como as coisas parecem e como as coisas são. Fascinante, não é, Ryan?

Ela sentiu o elevador descer e ficou em silêncio por um momento.

— Você também não é exatamente o que parece, é?

— Não. Mas quem é?

— Você fez mais por aquelas crianças em uma hora do que uma dúzia de médicos poderia ter feito. — Ele olhou para ela enquanto Ryan continuava. — E acho que não é a primeira vez que faz esse tipo de coisa.

— Não.

— Por quê?

— É um inferno ficar em um hospital quando se é criança — disse ele simplesmente. Era toda a resposta que lhe daria.

— Elas não acharam isso hoje.

Pierce tomou sua mão na dele novamente quando chegaram no térreo.

— Não existe plateia mais difícil que crianças. Elas são muito práticas.

Ryan teve que rir.

— Suponho que tenha razão. Que adulto teria pensado em lhe perguntar onde você compra seu leite mágico? — Ela disparou um olhar para Pierce. — Achei que se saiu muito bem dessa.

— Obtive um pouco de prática — ele lhe disse. — As crianças mantêm você alerta. Os adultos são mais facilmente distraídos. — Ele sorriu para ela. — Até mesmo você. Embora me observe com olhos verdes muito intrigantes.

Ryan olhou para o outro lado do estacionamento quando saíram. Quando Pierce olhava para ela, não era fácil se concentrar em outra coisa.

— Pierce, por que me convidou para vir com você hoje?

— Queria sua companhia.

Ryan virou-se novamente para ele.

— Acho que não entendo.

— Precisa entender? — perguntou ele. Na luz do sol, seu cabelo tinha a cor do trigo. Pierce correu os dedos por ele, depois envolveu o rosto dela com as mãos como tinha feito naquela primeira noite. — Sempre?

O coração de Ryan pulsava na garganta.

— Sim, acho...

Mas a boca de Pierce já estava sobre a dela, e ela não conseguiu mais pensar. Foi exatamente como da primeira vez. O beijo suave retirou tudo dela. Ryan sentiu um desejo quente e palpitante passar pelo seu corpo quando os dedos dele roçaram sua têmpora e se deslocaram para logo abaixo do coração. As pessoas passaram perto deles, mas ela não percebeu. Havia sombras, fantasmas. As únicas coisas reais eram a boca e as mãos de Pierce.

Foi o vento ou os dedos dele que ela sentiu deslizando sobre sua pele? Ele murmurou alguma coisa ou tinha sido ela?

Pierce a afastou. Os olhos de Ryan estavam enevoados e, devagar, começaram a entrar em foco como se ela estivesse saindo de um sonho. Ele não estava pronto para o término do sonho. Trazendo-a de volta, tomou os lábios dela novamente e provou seu sabor sensual e misterioso.

Teve de lutar contra o desejo de esmagá-la de encontro ao seu corpo, atacar sua boca quente e desejável. Ela era feita para o toque suave. O desejo o inflamava violentamente, mas ele o reprimiu. Houve momentos em que ficou trancado numa caixa escura e sem ar e que teve de afastar a necessidade de correr, o ímpeto de abrir caminho à força. Agora ele quase sentiu o mesmo pânico. O que ela estava fazendo com ele? A pergunta percorreu sua mente enquanto a observava mais de perto. Pierce sabia apenas que a queria, com um desespero que não tinha pensado ser possível.

Havia seda junto à pele dela de novo? Seda fina e frágil como o aroma da fragrância que ela usava? Ele queria fazer amor com ela à luz de velas ou num campo com o sol derramando-se sobre ela. Meu Deus, como ele a queria.

— Ryan, quero estar com você. — As palavras foram sussurradas dentro da boca de Ryan, e a fizeram tremer. — Preciso estar com você. Venha comigo agora. — Com as mãos, ele inclinou a cabeça dela e beijou-a de novo. — Agora, Ryan. Deixe-me amá-la.

— Pierce. — Ela estava afundando e lutando para encontrar terra firme. Apoiou-se nele mesmo quando balançou a cabeça. — Eu não conheço você.

Pierce controlou um violento desejo repentino de arrastá-la para o carro, levá-la de volta para a casa dele. Para a cama.

— Não. — Ele disse isso tanto para si mesmo quanto para Ryan. Afastando-a, segurou-a pelos ombros e a olhou. — Não, não conhece. E a srta. Swan precisaria conhecer. — Ele não gostava das batidas frenéticas do coração dele. Calma e controle eram partes intrínsecas do seu trabalho e, portanto, dele. — Quando me conhecer — disse-lhe ele baixinho —, seremos amantes.

— Não. — A objeção de Ryan ocorreu por causa do seu tom de voz sem emoção, não pela declaração. — Não, Pierce, não seremos amantes a menos que seja o que quero. Faço acordos em contratos, não na minha vida pessoal.

Pierce sorriu, mais relaxado com a recusa dela do que teria ficado com a maleabilidade. Ele desconfiava de qualquer coisa fácil demais.

— Srta. Swan — murmurou ele ao tomar o braço dela. — Já vimos as cartas.

Capítulo 6

Ryan chegou a Las Vegas sozinha. Tinha insistido nisso. Assim que se acalmou e conseguiu pensar de modo prático, decidiu que não seria prudente ter muito contato pessoal com Pierce. Quando um homem conseguia fazê-la esquecer do mundo com um beijo, era preciso manter distância. Essa era a nova regra de Ryan Swan.

Na maior parte da sua vida, ela havia sido totalmente dominada pelo pai. Não conseguira fazer nada sem a aprovação dele. Ele pode não ter lhe dado seu tempo, mas sempre dera sua opinião. E sua opinião era lei.

Foi só aos vinte e poucos anos que Ryan começou a explorar seus próprios talentos, sua própria independência. O gosto da liberdade tinha sido muito doce. Ela não ia se permitir ser dominada de novo, certamente não por necessidades físicas. Sabia, por experiência, que os homens não eram muito confiáveis. Por que Pierce Atkins seria diferente?

Após pagar o táxi, Ryan olhou em volta por um momento. Era sua primeira viagem a Vegas. Mesmo às dez da manhã, era surpreendente. A Sunset Strip se estendia bastante nas duas direções, e ao longo dela estavam nomes como The Dunes, The Sahara, The MGM. Os hotéis competiam por atenção com chafarizes, sofisticados letreiros luminosos e flores fabulosas.

Os outdoors anunciavam nomes famosos, em letras enormes. Estrelas, estrelas, estrelas! As mulheres mais bonitas do mundo, os artistas mais talentosos, os mais fascinantes, os mais exóticos — estavam todos ali. Tudo estava junto; um parque de diversões para adultos cercado pelo deserto e rodeado de montanhas. O sol da manhã queimava as ruas; à noite os letreiros luminosos as iluminavam.

Ryan se virou e olhou para o Caesars Palace. Era enorme, branco e opulento. Acima de sua cabeça, em letras garrafais, estava o nome de Pierce e as datas de suas apresentações. Que tipo de sensação dava a um homem como ele, imaginou, ver seu nome anunciado de forma tão visível?

Ela pegou as malas e tomou a esteira rolante que a transportaria pela fonte reluzente e pelas estátuas italianas. Na manhã tranquila, ela podia ouvir a água jorrar. Imaginou que à noite as ruas seriam barulhentas, cheias de carros e pessoas.

No momento em que entrou no saguão do hotel, Ryan ouviu o barulho de metal dos caça-níqueis girando. Teve de conter o desejo de entrar no cassino para dar uma olhada em vez de ir para o balcão da recepção.

— Ryan Swan. — Ela largou as malas no chão, perto do longo balcão. — Tenho uma reserva.

— Sim, srta. Swan. — O funcionário da recepção sorriu exultante para ela sem verificar os arquivos. — O carregador levará suas malas. — Ele fez um sinal e entregou a chave para o carregador. — Aproveite sua estada, srta. Swan. Por favor, avise-nos se houver algo que pudermos fazer pela senhorita.

— Obrigada.

Ryan aceitou a deferência do funcionário sem pensar. Quando as pessoas descobriam que ela era filha de Bennett Swan, tratavam-na como uma autoridade em visita. Não era nada novo, apenas um pouco constrangedor.

O elevador levou-a até o último andar com o carregador mantendo um silêncio respeitoso. Ele seguiu na frente pelo corredor, destrancou a porta e se afastou para deixá-la entrar.

A primeira surpresa de Ryan foi que não era um quarto, mas uma suíte. A segunda foi que já estava ocupada. Pierce estava sentado no sofá trabalhando com documentos que tinha espalhado sobre a mesa diante dele.

— Ryan. — Ele se levantou e foi até o carregador entregar-lhe uma gorjeta. — Obrigado.

— *Eu é* que agradeço, sr. Atkins.

Ryan esperou a porta fechar.

— O que está fazendo aqui? — perguntou ela.

— Tenho um ensaio programado para esta tarde —lembrou-lhe ele. — Como foi o voo?

— Foi bom — respondeu ela, aborrecida com a evasiva dele e com as suspeitas em sua mente.

— Quer que eu pegue um drinque?

— Não, obrigada. — Ela olhou em volta do quarto bem mobiliado, olhou de relance pela janela e fez um gesto amplo. — O que é isso?

Pierce levantou uma das sobrancelhas diante do seu tom de voz, mas respondeu suavemente.

— Nossa suíte.

— Ah, não — disse ela balançando a cabeça. — *Sua* suíte.

Ela pegou as malas e caminhou para a porta.

— Ryan.

Foi o tom calmo da voz dele que a deteve... e que desencadeou seu mau humor.

— Que truquezinho sujo! — Ryan largou as malas fazendo um grande barulho e virou-se para ele. — Realmente achou que poderia trocar minha reserva e... e...

— E o quê? — perguntou ele.

Ela fez um gesto em volta do quarto novamente.

— E me colocar aqui com você sem que eu dissesse nada? Realmente achou que eu cairia confortavelmente na sua cama porque você a preparou tão bem? Como *ousa*? Como ousa mentir para mim sobre precisar que eu o ajudasse a fazer o seu número quando tudo o que queria era que eu mantivesse sua cama aquecida?

A voz dela tinha mudado de uma pequena acusação para uma grande fúria antes de Pierce agarrar o pulso dela. A força dos dedos dele fez com que ela ofegasse de surpresa e choque.

— Eu não minto — disse Pierce suavemente, mas seus olhos estavam mais escuros do que ela já vira. — E não preciso de truques para encontrar uma mulher para a minha cama.

Ela não tentou se livrar. O instinto alertou-a para não fazer isso, mas ela não conseguiu controlar seu temperamento.

— Então, o que você chama isso? — perguntou ela de novo.

— Uma conveniência. — Ele sentiu a pulsação dela disparar sob seus dedos. A raiva tornou a voz dele perigosamente fria.

— Para quem? — devolveu ela.

— Vamos precisar discutir muitas coisas durante os próximos dias. — Ele falou com uma determinação tranquila, mas não afrouxou o aperto no pulso de Ryan. — Não pretendo correr para o seu quarto toda vez que tiver algo a lhe dizer. Estou aqui para trabalhar — lembrou-lhe ele. — E você também.

— Devia ter me consultado.

— Não fiz isso — retrucou friamente. — E não durmo com uma mulher sem que ela queira, srta. Swan.

— Não gosto que mude as coisas sem me consultar primeiro.

Ryan permaneceu firme, embora seus joelhos estivessem ameaçando tremer. A fúria dele era ainda mais apavorante por ser contida.

— Eu a alertei antes. Faço as coisas do meu modo. Se estiver nervosa, tranque a porta.

O escárnio tornou a voz dela estridente.

— Funcionaria muito com você. Uma fechadura sequer o manteria do lado de fora.

Os dedos dele apertaram o pulso dela rapidamente, dolorosamente, antes de ele afastar-se para o lado.

— Talvez não. — Pierce abriu a porta. — Mas um simples *não* manteria.

Ele se foi antes que Ryan pudesse dizer qualquer coisa. Ela encostou-se na porta enquanto calafrios percorriam seu corpo. Até aquele momento, não tinha percebido o quanto estava apavorada. Estava acostumada a lidar com as explosões de mau humor ou os silêncios amuados de seu pai. Mas isso...

Havia uma violência gélida nos olhos de Pierce. Ryan preferia ter enfrentado os gritos de fúria de qualquer homem do que aquele olhar que seria capaz de congelá-la.

Distraidamente, Ryan esfregou o pulso. Doía de leve em cada local que os dedos de Pierce tinham apertado. Ela estava certa quando disse que não o conhecia. Havia mais coisa nele do que podia imaginar. Tendo removido uma camada, ela não tinha certeza de que conseguia lidar com o que havia descoberto. Por mais um instante ela ficou encostada na porta, esperando o tremor parar.

Olhou em volta. Finalmente, concluiu que talvez estivesse errada em ter tido uma reação tão forte a uma inofensiva situação de negócios. Dividir uma suíte era essencialmente a mesma coisa que ter quartos adjacentes. Se tivesse sido o caso, ela não teria achado nada de mais.

Mas ele também estava errado, lembrou-se ela. Poderiam ter chegado a um acordo fácil sobre a suíte se ele tivesse falado com ela primeiro. Prometera a si mesma quando deixou a Suíça que não seria mais controlada.

E as palavras de Pierce deixaram-na preocupada. *Ele não dormia com uma mulher sem que ela assim o quisesse.* Ryan estava bem consciente que ambos sabiam que ela o queria.

Um simples *não* o manteria afastado. Sim, ela refletiu enquanto pegou as malas. Com isso, podia contar. Ele nunca se imporia a nenhuma mulher — simplesmente porque não precisaria. Ela imaginava quanto tempo levaria até que ela se esquecesse de dizer não.

Ryan balançou a cabeça. O projeto era tão importante para Pierce quanto para ela. Não era inteligente começar discutindo sobre onde dormir ou se preocupando com possibilidades remotas. Ela era dona de si. Foi desfazer as malas.

Quando Ryan desceu até o teatro, o ensaio já estava em andamento. Pierce permanecia no centro do palco. Havia uma mulher com ele. Embora ela estivesse usando apenas jeans e um moletom grande, Ryan reconheceu a ruiva escultural que era assistente de Pierce. Nos vídeos, Ryan se lembrou, ela usava pequenos trajes reluzentes ou vestidos muito leves. *Nenhum mágico viaja sem uma assistente bonita.*

Calma, Ryan, alertou-se. *Não é da sua conta.* Devagar, ela desceu e sentou-se no meio da plateia. Pierce não olhou na direção dela. Sem ter consciência do que fazia, Ryan começou a pensar em ângulos de câmera e cenários.

Cinco câmeras, pensou, *e nada chamativo demais como fundo. Nada reluzente para não tirar a atenção dele. Alguma coisa escura,* ela decidiu. *Algo para acentuar a imagem de mago ou de bruxo e não de um showman.*

Foi uma grande surpresa para ela quando a assistente de Pierce inclinou-se lentamente para trás até ficar deitada na horizontal em pleno ar. Ryan parou de planejar e observou. Ele não usava a voz, apenas gestos — gestos amplos e majestosos que traziam à mente capas pretas e luz de velas. A mulher começou a girar, devagar no começo e depois com maior velocidade.

Ryan tinha visto o truque no vídeo, mas vê-lo ao vivo era uma experiência totalmente diferente. Não havia acessórios para desviar a atenção dos dois no centro do palco, nem roupas, música ou luzes brilhantes para aumentar o clima. Ryan descobriu que estava prendendo a respiração e forçou-se a soltá-la. Os cachos ruivos da mulher tremulavam enquanto ela girava. Os olhos dela estavam fechados, o rosto, completamente tranquilo, enquanto suas mãos estavam colocadas, elegantemente, na cintura. Ryan assistiu de perto, procurando fios, truques. Frustrada, inclinou-se à frente.

Não conseguiu impedir um pequeno grito de admiração quando a mulher começou a rodopiar enquanto continuava a girar. A expressão calma no rosto dela permanecia inalterada, como se ela dormisse em vez de rodopiar e girar um metro acima do solo. Com um gesto, Pierce interrompeu o movimento, trazendo-a para a vertical de novo, devagar, até seus pés tocarem o chão. Quando ele passou a mão na frente do rosto dela, a assistente abriu os olhos e sorriu.

— Como foi?

Ryan quase deu um salto diante das palavras corriqueiras que ecoaram alegremente das paredes do teatro.

— Bom — disse Pierce simplesmente. — Será melhor com a música. Quero luzes vermelhas, algo quente. Comece suave e então aumente a velocidade. — Ele deu essas ordens ao diretor de iluminação antes de se virar novamente para a assistente. — Treinaremos mais o teletransporte.

Por uma hora Ryan assistiu fascinada, frustrada e, inegavelmente, entretida. O que lhe parecia impecável, Pierce repetiu várias vezes. Com cada número, ele tinha suas próprias ideias dos efeitos técnicos que queria. Ryan podia ver que sua criatividade não se restringia à mágica. Ele sabia como usar a iluminação e o som para realçar, acentuar, enfatizar.

Um perfeccionista, Ryan observou. Ele trabalhava tranquilamente, sem a dinâmica que exibia numa apresentação. Nem havia nele a desenvoltura desleixada que ela observara quando ele divertiu as crianças. Estava trabalhando. Era um fato puro e simples. *Um mago, talvez*, ela refletiu, com um sorriso, *mas que conquista sua posição com longas horas de trabalho e repetição*. Quanto mais ela assistia, mais respeito sentia.

Ryan imaginara como seria trabalhar com ele. Agora ela via. Ele era implacável, incansável e tão fanático com os detalhes como ela. Eles iam discutir, previu, e começou a esperar ansiosamente por isso. Ia ser um espetáculo e tanto.

— Ryan, suba, por favor.

Ela ficou surpresa quando ele a chamou. Ryan teria jurado que ele não sabia que ela estava no teatro. Ela se levantou. Estava começando a parecer que não havia nada que ele não soubesse. Quando Ryan adiantou-se, Pierce disse alguma coisa para a assistente. Ela deu uma breve e vigorosa risada e beijou-o no rosto.

— Pelo menos consigo ficar inteira nesse número —disse-lhe ela, depois se virou para sorrir para Ryan enquanto ela subia ao palco.

— Ryan Swan — disse Pierce. — Bess Frye.

De perto, Ryan viu que a mulher não era uma beldade. Suas feições eram grandes demais para uma beleza clássica. Seu cabelo era de um vermelho brilhante e caía em cachos em volta do rosto de ossos largos. Os olhos dela eram quase redondos e vários tons mais escuros que os olhos verdes de Ryan. A maquiagem era exótica e as roupas pareciam informais, ela era quase da altura de Pierce.

— Olá! — Havia uma explosão de simpatia na única palavra. Bess estendeu o braço para dar um entusiástico aperto de mão em Ryan. Era difícil acreditar que a mulher, sólida como carvalho, tinha girado um metro acima do palco. — Pierce me contou tudo sobre você.

— Ah?

Ryan olhou para ele.

— Ah, sim. — Ela repousou um dos cotovelos sobre o ombro de Pierce enquanto falava com Ryan. — Pierce acha você muito esperta. Gosta do tipo inteligente, mas não disse que era tão bonita. Por que não me disse que ela era tão bonita, querido?

Ryan não levou muito tempo para descobrir que Bess geralmente falava trechos longos e explosivos.

— E você me acusou de ver uma mulher apenas como um acessório de palco.

Ele enfiou as mãos nos bolsos. Bess deu outra risada vigorosa.

— Ele é esperto também —confidenciou ela a Ryan, dando um apertão em Pierce. — Vai ser a produtora desse especial?

— Vou. — Um pouco atordoada pela excessiva simpatia, Ryan sorriu. — Vou sim.

— Bom. Estava na hora de ter uma mulher coordenando as coisas. Fico cercada de homens nesse trabalho, querida. Há só uma mulher na trupe. Vamos tomar um drinque em breve e nos conhecermos.

Posso lhe pagar uma bebida, querida?, Ryan se lembrou. Seu sorriso se ampliou.

— Gostaria muito.

— Bem, vou ver o que Link está tramando antes que o chefe decida me mandar de volta ao trabalho. Vejo você depois.

Bess desceu do palco — 1,80m de puro entusiasmo. Ryan observou-a o tempo todo.

— Ela é maravilhosa — murmurou Ryan.

— Sempre achei isso.

— Ela parecia tão fria e reservada no palco. — Ryan sorriu para Pierce. — Está com você há muito tempo?

— Está.

O calor que Bess trouxera estava rapidamente desaparecendo. Ryan limpou a garganta e começou de novo.

— O ensaio foi muito bom. Teremos que discutir quais números pretende incorporar ao especial e quais os novos que pretende desenvolver.

— Tudo bem.

— Terá que haver alguns ajustes, naturalmente, para a televisão — continuou ela, tentando ignorar as respostas monossilábicas dele. — Mas, basicamente, imagino que queira uma versão condensada do seu número em clubes.

— Exatamente.

No pouco tempo em que Ryan conhecera Pierce, ela descobrira que ele possuía uma simpatia e um humor naturais. Agora ele estava olhando para ela com olhos precavidos, obviamente impaciente para que ela fosse embora. O pedido de desculpas que Ryan tinha planejado não pôde ser feito.

— Tenho certeza de que está ocupado — disse ela de modo resoluto e se virou. Doía, ela descobriu, ser excluída. Ele não tinha direito de magoá-la. Ryan saiu do palco sem olhar para trás.

Pierce observou-a até as portas no fundo do teatro se fecharem depois de ela passar. Com os olhos fixos na porta, ele comprimiu a bola que segurava na mão até ela ficar achatada. Tinha dedos muito fortes, suficientemente fortes para ter quebrado os ossos do pulso dela em vez de simplesmente machucá-los.

Ele não tinha gostado de ver os hematomas. Não gostara de se lembrar como ela o acusara de tentar enganá-la. Ele nunca precisou enganar qualquer mulher. Ryan Swan não seria diferente.

Poderia tê-la possuído naquela primeira noite com a tempestade rugindo do lado de fora e o corpo dela comprimido junto ao dele.

E por que não fiz isso?, ele se perguntou, e jogou a bola esmagada para o lado. Por que não a tinha levado para a cama e feito todas as coisas que havia desejado fazer de forma tão desesperadora? Porque ela olhara para ele com os olhos cheios de pânico e aceitação. Estava vulnerável. Ele tinha percebido, como algo semelhante ao medo, que também estava vulnerável. E ela ainda assombrava sua mente.

Quando Ryan entrou na suíte naquela manhã, Pierce esquecera as anotações cuidadosas que fizera sobre uma nova ilusão. Ele a viu, caminhando vestida com um daqueles conjuntos curtos, e esqueceu tudo. O cabelo dela estava desalinhado por causa do vento durante a viagem de carro, como na primeira vez em que ele a viu. E tudo que quis fazer foi abraçá-la — sentir o pequeno corpo macio ceder junto ao dele.

Talvez a raiva dele tenha começado a crescer ali mesmo, a incendiar-se com as palavras e os olhos acusadores dela.

Ele não devia tê-la ferido. Pierce olhou para as mãos vazias e xingou. Ele não tinha o direito de marcar a pele dela — a pior coisa que um homem poderia fazer a uma mulher. Ela era mais fraca que ele, e ele havia usado isso — usado seu temperamento e sua força, duas coisas que ele prometera a si mesmo muito tempo atrás que nunca usaria contra uma mulher. Na sua mente, nenhuma provocação poderia justificar tal reação. Só poderia culpar a si mesmo pelo deslize.

Não poderia mais ficar pensando nisso ou em Ryan e trabalhar ao mesmo tempo. Precisava de concentração. A única coisa a fazer era restabelecer seu relacionamento para o ponto onde Ryan queria desde o começo. Eles trabalhariam juntos em busca do sucesso, e isso seria tudo. Ele tinha aprendido a controlar seu corpo por meio da mente. Poderia controlar suas necessidades e suas emoções da mesma forma.

Pierce soltou um xingamento final e voltou para falar com sua equipe sobre os apetrechos de palco.

Capítulo 7

Era difícil resistir a Las Vegas. Dentro dos cassinos não era dia nem noite. Sem relógios e com o tilintar contínuo das máquinas caça-níqueis, havia uma atemporalidade perpétua, uma intrigante desorientação. Ryan via as pessoas com trajes a rigor jogando noite adentro até o fim da manhã. Assistiu a milhares de dólares trocarem de mãos nas mesas de Vinte e Um e bacará. Mais de uma vez, controlou a respiração enquanto a roleta girava com uma pequena fortuna à mercê dos caprichos de uma bola prateada.

Descobriu que a febre vinha em muitas formas — fria, desapaixonada, desesperada, intensa. Havia a mulher colocando a moeda na máquina de caça-níqueis e o jogador dedicado rolando os dados. A fumaça pairava no ar ao som da vitória ou da derrota. Os rostos mudavam, mas o estado de ânimo permanecia. Apenas mais um lançar de dados, mais um puxar da alavanca.

Os anos na empertigada escola suíça tinham esfriado o ímpeto de jogar que Ryan havia herdado do pai. Agora, pela primeira vez, ela sentia a excitação do impulso de testar a Dama da Sorte. Recusou, dizendo a si mesma que estava satisfeita em assistir. Havia pouco mais que ela pudesse fazer.

Ryan viu Pierce no palco durante os ensaios e dificilmente em outras situações. Era surpreendente para ela que duas pessoas pudessem dividir uma suíte e tão raramente tivessem contato um com o outro. Por mais que levantasse cedo, ela não o encontrava mais. Uma ou duas vezes, após estar por muito tempo na cama, Ryan ouviu o estalo rápido da fechadura da porta da frente. Quando eles conversavam, era apenas para discutir ideias sobre como adaptar seu número de clubes para a televisão. As conversas eram calmas e técnicas.

Ele está tentando me evitar, pensou ela na noite de estreia, *e está fazendo um excelente trabalho*. Se queria provar que dividir uma suíte não significava nada pessoal, ele havia se saído muito bem. Isso, é claro, era o que ela queria, mas sentia falta da amabilidade. Sentia falta de vê-lo sorrir para ela.

Ryan decidiu assistir ao show dos bastidores. De lá ela teria uma visão perfeita e estaria numa posição para observar o estilo e o timing de Pierce enquanto tinha uma perspectiva dos bastidores. Os ensaios haviam lhe dado uma ideia sobre os hábitos de trabalho dele, e agora ela o observaria atuar do ponto de vista mais próximo que pudesse. Queria ver mais do que a plateia ou uma câmera veria.

Tomando cuidado para não atrapalhar os trabalhadores e os maquinistas, Ryan acomodou-se num canto e ficou observando. Desde a primeira série de aplausos, quando foi apresentado, Pierce teve a plateia na palma da mão. *Meu Deus, como ele é bonito!*, pensou ela ao examinar seu estilo e seu brilho. Dinâmico, dramático, apenas a personalidade dele teria dominado a plateia. O carisma dele não era ilusão, mas parte integrante dele, como a cor do seu cabelo. Estava vestido de preto, como habitualmente, sem precisar de cores brilhantes para manter os olhares grudados nele.

Falava enquanto se apresentava. Conversa fiada, como ele teria dito, mas era muito mais. Ele sintonizava o ambiente com palavras e cadência. Podia iludi-los e deslumbrá-los completamente em seguida — uma chama disparando de sua mão, um pêndulo prateado resplandecente que girava no ar sem qualquer apoio. Não era mais pragmático, como fora nos ensaios, mas obscuro e misterioso.

Ryan assistiu quando ele foi trancado com cadeado num saco, colocado dentro de um baú e acorrentado. De pé sobre ele, Bess puxou uma cortina e contou até vinte. Quando a cortina caiu, o próprio Pierce estava de pé no baú, totalmente livre. E, é claro, quando ele destrancou o baú e abriu o saco, Bess estava lá dentro. Ele chamava isso de teletransporte. Ryan achava incrível.

Suas fugas a deixavam inquieta. Assistir voluntários da plateia pregá-lo dentro de um caixote forte que ela mesma tinha examinado deixavam as mãos dela suadas. Ela podia imaginá-lo na caixa escura e sem ar e sentir sua própria respiração bloqueando os pulmões. Mas ele se livrava em menos de dois minutos.

Para o final, ele trancou Bess numa gaiola, cobriu-a com uma cortina e a fez elevar-se até o teto. Quando a abaixou, minutos depois, havia uma pantera no lugar de Bess. Assistindo-o, vendo a intensidade dos seus olhos, as cavidades e as sombras misteriosas de seu rosto, Ryan quase acreditou que ele tinha transcendido as leis da natureza. Porque, naquele momento, antes de a cortina descer, a pantera era Bess e ele era mais feiticeiro que showman.

Ryan queria lhe perguntar, convencê-lo a explicar apenas esse número em termos que ela pudesse entender. Quando ele desceu do palco e seus olhos se encontraram, ela engoliu as palavras.

O rosto dele estava úmido por causa das luzes e da sua própria concentração. Ela queria tocá-lo, descobrindo, para sua própria surpresa, que vê-lo se apresentar a tinha excitado. O impulso era mais básico e mais poderoso que qualquer coisa que vivenciara. Ela podia imaginá-lo segurando-a com suas mãos fortes e hábeis. Depois sua boca, extremamente sensual, estaria sobre a dela, levando-a para aquele estranho mundo leve que ele conhecia. Se fosse até ele naquele momento, oferecendo e exigindo, o encontraria tão ávido quanto ela? Ele não diria nada, apenas a levaria embora para lhe mostrar sua mágica?

Pierce parou diante dela, e Ryan recuou, abalada com seus próprios pensamentos. Seu sangue estava aquecido, agitando-se sob sua pele, exigindo que ela fosse na sua direção. Consciente, excitada, porém sem vontade, ela manteve distância.

— Você foi maravilhoso — disse ela, mas ouviu a rigidez no elogio.

— Obrigado.

Pierce não disse nada mais ao passar por ela. Ryan sentiu dor na palma das mãos e descobriu que estava cravando as unhas na carne. *Isso tem de parar*, disse a si mesma, e virou-se para ir atrás dele.

— Ei, Ryan! — Ela parou quando Bess colocou a cabeça para fora do camarim. — O que achou do show?

— Foi maravilhoso. — Ela olhou ao longo do corredor; Pierce já tinha sumido. Talvez fosse melhor assim. — Acho que você não me revelaria o segredo do final — disse ela.

Bess riu.

— Não se prezo minha vida, querida. Entre, venha conversar enquanto me troco.

Ryan agradeceu, fechando a porta ao passar. O ar estava saturado com o cheiro de maquiagem e pó.

— Deve ser uma experiência e tanto ser transformada em pantera.

— Ah, Senhor, Pierce já me transformou em tudo que anda, rasteja ou voa; me serrou em pedacinhos e me equilibrou sobre espadas. Em um dos números, ele me fez dormir sobre uma cama de pregos três metros acima do chão.

Enquanto falava, ela despia o traje com a mesma simplicidade de uma criança de 5 anos.

— Deve confiar nele — comentou Ryan enquanto olhava em volta em busca de uma cadeira vazia.

Bess tinha o hábito de espalhar suas coisas em todos os espaços disponíveis.

— É só tirar alguma coisa do seu caminho —sugeriu ela ao pegar um robe azul pavão do braço de uma cadeira. — Confiar em Pierce? — continuou ela enquanto amarrava o cinto do robe. — Ele é o melhor. — Sentada no toucador, ela começou a tirar a maquiagem. — Viu como ele é nos ensaios.

— Vi. — Ryan dobrou uma blusa amarrotada e colocou-a de lado. — Minucioso.

— Para dizer o mínimo. Planeja os números no papel, depois os repassa várias vezes naquela masmorra antes de sequer pensar em mostrar qualquer coisa a mim ou a Link. — Ela olhou para Ryan com um dos olhos com maquiagem pesada e o outro limpo. — A maioria das pessoas não sabe o quanto Pierce trabalha porque ele faz com que pareça fácil. É assim que ele quer.

— Suas fugas — Ryan começou a falar enquanto endireitava as roupas de Bess. — São perigosas?

— Não gosto de algumas delas. — Bess retirou o restante do creme com lenço de papel. Seu rosto exótico estava inesperadamente jovem e fresco. Ela deu de ombros ao se levantar. — Mas jamais gostei quando ele faz a versão dele da *Tortura na Água de Houdini* ou a de *Mil Cadeados*.

— Por que ele faz isso, Bess? — Ryan separou um par de jeans, mas continuou a vagar inquieta pelo cômodo. — As ilusões bastariam.

— Não para Pierce. — Bess largou o robe, colocando um sutiã em seguida. — As fugas e o perigo são importantes para ele. Sempre foram.

— Por quê?

— Porque ele quer se testar o tempo todo. Nunca está satisfeito com o que fez ontem.

— Se testar — murmurou Ryan. Ela própria tinha sentido isso, mas estava longe de entender. — Bess, há quanto tempo trabalha com ele?

— Desde o começo — disse-lhe Bess enquanto enfiava o jeans. — Desde o comecinho.

— Quem é ele? — perguntou Ryan antes que pudesse se conter. — Quem é ele realmente?

Com uma blusa pendendo nas pontas dos dedos, Bess lançou a Ryan um olhar repentino e penetrante.

— Por que quer saber?

— Ele... — Ryan parou, sem saber o que dizer. — Não sei.

— Gosta dele?

Ryan não respondeu imediatamente. Quis dizer não e encerrar o assunto.

— Gosto sim — ela ouviu-se dizer. — Gosto dele.

— Vamos tomar um drinque — sugeriu Bess e vestiu a blusa. — E conversar.

— Coquetéis de champanhe — pediu Bess quando elas se sentaram num compartimento do saguão. — Vou pagar. — Ela pegou um cigarro e o acendeu. — Não conte a Pierce — acrescentou, dando uma piscada. — Ele desaprova o uso de tabaco. É fanático com o cuidado do corpo.

— Link me disse que ele corre oito quilômetros todos os dias.

— É um velho hábito. Pierce raramente altera velhos hábitos. — Bess tragou a fumaça dando um suspiro. — Ele sempre foi muito determinado, sabe? Podia-se ver, mesmo quando criança.

— Conheceu Pierce quando ele era menino?

— Crescemos juntos: eu, Pierce e Link. — Bess olhou rapidamente para a garçonete quando os coquetéis foram servidos. — Coloque na conta — disse ela e olhou de novo para Ryan. — Pierce não fala sobre aquele tempo, nem mesmo comigo ou com Link. Ele o eliminou, ou tentou eliminar.

— Pensei que estivesse tentando promover uma imagem — murmurou Ryan.

— Ele não precisa fazer isso.

— Não. — Ryan olhou em seus olhos novamente. — Acho que não. Ele teve uma infância difícil?

— Minha nossa. — Ryan tomou um longo gole. — Muito. Foi uma criança muito franzina.

— Pierce?

Ryan pensou no corpo forte e musculoso e ficou olhando.

— É. — Bess soltou uma versão abafada de sua risada gutural. — Difícil de acreditar, mas é verdade. Era pequeno para sua idade, magro como barbante. As crianças maiores o atormentavam. Acho que precisavam de alguém com quem implicar. Ninguém gosta de crescer num orfanato.

— Orfanato? — Ryan agarrou-se à última palavra. Examinando o rosto franco e amistoso de Bess, ela sentiu uma torrente de compaixão. — Todos vocês?

— Que inferno! — Bess deu de ombros. Os olhos de Ryan estavam cheios de sofrimento. — Na verdade, não era tão ruim. Comida, um teto para cobrir a cabeça, muita companhia. Não é como se lê em *Oliver Twist*.

— Você perdeu seus pais, Bess? — perguntou Ryan com interesse em vez da compaixão que percebeu que era indesejada.

— Quando tinha 8 anos. Não havia mais ninguém para ficar comigo. A mesma coisa com Link. — Ela continuou sem qualquer traço de autopiedade ou arrependimento. — Na maior parte das vezes, as pessoas querem adotar bebês. As crianças mais velhas não são adotadas com tanta facilidade.

Ryan levantou a bebida e deu um gole, pensativa. Teria sido vinte anos atrás, antes da onda atual de interesse em crianças adotáveis.

— E Pierce?
— As coisas foram diferentes com ele. Ele tinha pais. Eles não quiseram assinar os documentos, então não podia ser adotado.

As sobrancelhas de Ryan formaram pregas com a confusão.

— Mas, se ele tinha pais, o que estava fazendo num orfanato?

— Os tribunais o tiraram deles. Seu pai... — Bess soltou uma longa corrente de fumaça. Ela estava se arriscando falando daquele jeito. Pierce não ia gostar se descobrisse. Ela só podia desejar que valesse a pena. — O pai dele batia na mãe.

— Ah, meu Deus! — Os olhos horrorizados de Ryan grudaram nos de Bess. — E... e em Pierce?

— De vez em quando — respondeu Bess calmamente. — Mas principalmente na mãe. Primeiro, ele se embebedava, depois, batia na esposa.

Uma onda de dor espalhou-se na boca do seu estômago. Ryan pegou a bebida novamente. Claro que ela sabia que tais coisas aconteciam, mas seu mundo tinha sido tão protegido! Seus pais podem tê-la ignorado grande parte de sua vida, mas nenhum dos dois jamais levantou a mão para ela. É verdade que os gritos do seu pai a apavoravam às vezes, mas nunca iam além de uma voz alterada ou de palavras impacientes. Ela nunca sofrera violência física de qualquer tipo. Embora tentasse conceber o tipo de horror que Bess relatava calmamente, era distante demais.

— Conte-me —perguntou ela por fim. — Quero compreendê-lo.

Era o que Bess queria ouvir. Deu a Ryan um voto de aprovação silencioso e continuou.

— Pierce tinha 5 anos. Dessa vez, o pai dele bateu tanto em sua mãe que a colocou no hospital. Geralmente, ele trancava Pierce num armário antes de dar início a um de seus acessos de fúria, mas dessa vez ele o agrediu um pouquinho primeiro.

Ryan controlou o desejo de protestar contra o que estava ouvindo, mas manteve-se em silêncio. Bess a observava com atenção enquanto falava.

— Foi quando as assistentes sociais assumiram o controle. Após a papelada de costume e as audiências, seus pais foram julgados incapazes, e ele foi colocado no orfanato.

— Bess, e a mãe dele? — Ryan balançou a cabeça, tentando refletir. — Por que ela não abandonou o marido e levou Pierce com ela? Que tipo de mulher...

— Não sou psiquiatra — interrompeu Bess. — Pelo que Pierce sabia, ela continuou com o pai.

— E abandonou o filho — murmurou Ryan. — Ele deve ter se sentido tão completamente rejeitado, tão apavorado e sozinho.

Que tipo de dano isso causa à cabeça de uma criança?, perguntou-se ela. Que tipo de compensações uma criança assim faria? Ele se livrava de correntes, baús e cofres porque tinha sido outrora um menino trancado num armário escuro? Buscava continuamente fazer o impossível por que havia sido tão desamparado?

— Ele era um solitário — continuou Bess enquanto pediu outra rodada. — Talvez seja uma das razões pelas quais as outras crianças o atormentavam. Pelo menos até Link aparecer. — Bess sorriu, gostando dessa parte de suas lembranças. — Ninguém jamais tocava em Pierce quando Link estava por perto. Ele sempre foi duas vezes maior que qualquer um. E aquela cara!

Ela riu de novo, mas não havia nada de crueldade na risada.

— Assim que Link chegou, nenhuma das crianças se aproximava dele. Com exceção de Pierce. Os dois eram excluídos. Eu também. Link é ligado a Pierce desde então. Realmente não sei o que poderia ter acontecido a ele sem Pierce. Ou a mim.

— Você realmente o ama, não é? — perguntou Ryan, espiritualmente próxima da ruiva grande e exuberante.

— Ele é meu melhor amigo — respondeu Bess simplesmente. — Eles me deixaram entrar no seu clubinho quando eu tinha 10 anos. — Ela sorriu por cima da borda do copo. — Eu via Link chegando e subia numa árvore. Ele me amedrontava. Nós o chamávamos de Elo Perdido.

— As crianças, às vezes, são cruéis.

— Pode apostar nisso. Seja como for, no momento exato em que ele estava passando embaixo da árvore, o galho quebrou e eu caí. Ele me pegou. — Ela inclinou-se à frente, envolvendo o queixo com as mãos. — Nunca me esquecerei disso. Num instante estou caindo e no outro ele está me segurando. Olhei para aquele rosto e me preparei para gritar muito. Então ele riu. Apaixonei-me imediatamente.

Ryan engoliu o champanhe de um gole só. Não havia como não perceber o olhar sonhador nos olhos de Bess.

— Você... você e Link?

— Bem, eu, sim — disse Bess, pesarosa. — Sou louca pelo grandalhão há vinte anos. Ele ainda acha que sou a Pequena Bess. Mesmo com o meu 1,80m. — Ela sorriu e piscou. — Mas estou tentando convencê-lo.

— Pensei que você e Pierce... — Ryan começou a dizer, mas sua voz perdeu a intensidade.

— Eu e Pierce? — Bess soltou uma de suas vigorosas risadas, fazendo as cabeças girarem. — Está brincando? Você conhece o mundo do entretenimento o suficiente para dizer isso, querida. Pareço o tipo de Pierce?

— Bem, eu... — Constrangida com o humor sincero de Bess, Ryan deu de ombros. — Não teria ideia de qual seria seu tipo.

Bess riu dentro do copo.

— Você parecia ser mais inteligente — comentou ela. — De qualquer forma, ele sempre foi uma criança calada, sempre... qual é a palavra? — Sua testa formou sulcos enquanto pensava. — Intensa, sabe como é? Ele tinha um temperamento forte. — Sorrindo novamente, ela revirou os olhos. — Deixava todo mundo que encontrava de olho roxo quando era mais novo. Mas, depois de amadurecer, ele se controlou. Estava bem claro que decidira não seguir os passos do pai. Quando Pierce toma uma decisão, é isso.

Ryan se lembrou da fúria fria, da violência gélida, e começou a compreender.

— Quando ele tinha cerca de 9 anos, eu acho, Pierce sofreu um acidente. — Bess bebeu e depois franziu as sobrancelhas. — Pelo menos era o que ele dizia. Caiu de cabeça num lance de escadas. Todo mundo sabia que ele tinha sido empurrado, mas nunca contou quem o empurrara. Acho que não queria que Link fizesse alguma coisa pela qual podia se meter numa enrascada. A queda machucou sua coluna. Achavam que ele não andaria novamente.

— Ai, não!

— É. — Bess deu outro longo gole. — Mas Pierce disse que ia andar. Ia correr oito quilômetros todos os dias pelo resto da vida.

— Oito quilômetros — murmurou Ryan.

— Ele era determinado. Fazia fisioterapia como se sua vida dependesse disso. Talvez dependesse mesmo — acrescentou ela pensativa. — Ele passou seis meses no hospital.

— Entendo.

Ela estava vendo Pierce na enfermaria pediátrica, doando-se às crianças, conversando com elas, fazendo-as rir. Levando-lhes mágica.

— Enquanto estava lá, uma enfermeira lhe deu um kit de mágicas. Era como se estivesse esperando por isso, ou o kit esperando por ele. Quando ele saiu, conseguia fazer coisas que muitos dos caras do ramo têm dificuldade. — Amor e orgulho se misturaram na sua voz. — Ele tinha um talento natural.

Ryan podia vê-lo: um menino moreno e intenso num leito branco de hospital, se aperfeiçoando, praticando, descobrindo.

— Preste atenção. — Bess riu novamente e inclinou-se à frente. Os olhos de Ryan revelavam seus sentimentos. — Uma vez, quando o visitei no hospital, ele colocou fogo no lençol. — Ela parou quando a expressão de Ryan ficou horrorizada. — Juro. Eu *vi* o lençol queimando. Então, ele apagou com a mão. — Ela demonstrou com a palma sobre a mesa. — Desapareceu e não havia nada. Nem queimado, nem buraco, nem mesmo um chamuscado. O danadinho me deixou morta de medo.

Ryan riu apesar da experiência ruim que ele deve ter tido. Ele tinha superado. Havia vencido.

— A Pierce — disse ela, e levantou o copo.

— Muito bem. — Bess brindou antes de engolir o champanhe. — Ele foi embora quando tinha 16 anos. Senti muita falta dele. Nunca pensei que veria ele ou Link novamente. Imagino que foram os dois anos mais solitários da minha vida. Então, um dia eu estava trabalhando num restaurante em Denver, e ele entrou. Não sei como me encontrou, nunca me disse, mas entrou e me disse para largar o emprego. Eu ia trabalhar para ele.

— Assim? — perguntou Ryan.
— Assim.
— O que você disse?
— Não disse nada. Era o Pierce. — Com um sorriso, Bess sinalizou para a garçonete. — Larguei o emprego e caímos na estrada. Beba, querida, você está com um drinque a menos.

Ryan examinou-a por um momento, depois terminou seu drinque. Não era qualquer homem que poderia obter esse tipo de lealdade inquestionável de uma mulher forte.

— Geralmente, paro no segundo — disse-lhe Ryan, apontando para o coquetel.

— Esta noite não — anunciou Bess. — Sempre bebo champanhe quando fico sentimental. Você não acreditaria em alguns dos locais em que nos apresentamos nos primeiros anos — prosseguiu ela. — Festas de crianças, despedidas de solteiros, fábricas. Ninguém controla um grupo arruaceiro como Pierce. Quando ele olha para alguém e tira uma bola de fogo do bolso, o sujeito se acalma.

— Imagino que sim — concordou Ryan, e riu da imagem. — Nem mesmo tenho certeza de que ele precisaria da bola de fogo.

— Acertou — disse Bess, satisfeita. — Seja como for, ele sempre soube que seria bem-sucedido e levou a mim e Link junto. Não precisava. Esse é exatamente o tipo de homem que ele é. Não deixa muitas pessoas se aproximarem, mas, aquelas que deixa são para sempre. — Ela mexeu o champanhe por um momento. — Sei que eu e Link nunca poderíamos acompanhá-lo aqui em cima, sabe? — Ela bateu de leve na têmpora. — Mas não faz diferença para Pierce. Somos seus amigos.

— Acho — disse Ryan devagar — que ele escolhe seus amigos muito bem.

Bess lançou-lhe um sorriso cintilante.

— Você é uma mulher legal, Ryan. Uma verdadeira dama também. Pierce é o tipo de homem que precisa de uma dama.

Ryan ficou muito interessada na cor de sua bebida.

— Por que diz isso?

— Porque ele tem classe, sempre tem. Precisa de uma mulher de classe e que seja afetuosa como ele.

— Ele é afetuoso, Bess? — Os olhos de Ryan se ergueram novamente, questionadores. — Às vezes, ele parece tão... distante.

— Sabe onde ele arrumou aquela gata boboca? — Ryan balançou a cabeça diante da pergunta. — Alguém a tinha atropelado e a deixou no acostamento. Pierce estava voltando após uma semana de apresentações em São Francisco. Ele parou e levou-a ao veterinário. Duas horas da manhã e ele estava acordando o veterinário e fazendo-o operar um gato de rua. Custou-lhe 300 dólares. Link me disse. — Ela pegou outro cigarro. — Quantas pessoas você conhece que fariam isso?

Ryan olhou fixamente para ela.

— Pierce não gostaria de saber que você me contou tudo isso, não é?

— Não.

— Por que contou?

Bess exibiu outro sorriso.

— É um truque que aprendi com ele ao longo dos anos. Você olha fundo nos olhos de uma pessoa e sabe se pode confiar nela.

Ryan olhou para ela e falou sério.

— Obrigada.

— E — acrescentou Bess de forma casual enquanto bebia mais champanhe — você está apaixonada por ele.

As palavras que Ryan tinha começado a dizer ficaram emperradas na garganta. Ela começou a tossir de modo intermitente.

— Beba tudo, querida. Nada como o amor para fazê-la engasgar. Brindemos a ele. — Seu copo tilintou no de Ryan. — E boa sorte para nós duas.

— Sorte? — perguntou Ryan de forma débil.

— Com homens como aqueles dois, nós precisamos.

Dessa vez, Ryan fez sinal para mais uma rodada.

Capítulo 8

Quando Ryan atravessou o cassino com Bess, ela estava rindo. O vinho havia melhorado seu humor, mas, além disso, a companhia de Bess a tinha animado. Desde que retornara da escola, Ryan havia reservado pouco tempo para conquistar novas amizades. Achar uma tão rapidamente fez mais efeito que o champanhe.

— Comemorando?

As duas levantaram os olhos e avistaram Pierce. Em uníssono, seus rostos registraram a vergonha de crianças pegas com a mão na lata de biscoitos. A sobrancelha de Pierce se levantou. Dando uma risada, Bess se inclinou e beijou-o com entusiasmo.

— Apenas conversa de mulher, querido. Eu e Ryan descobrimos que temos muito em comum.

— É mesmo?

Ele observou quando Ryan comprimiu os dedos na boca para abafar um risinho. Estava aparente que elas tinham feito mais do que só conversar.

— Ele não fica maravilhoso quando está sério e compenetrado? — perguntou Bess a Ryan. — Ninguém faz isso melhor que Pierce. — Ela o beijou novamente. — Não embebedei sua dama, apenas a deixei um pouco mais solta do que está acostumada. Além disso, ela é adulta. — Ainda apoiando a mão no ombro dele, Bess olhou em volta. — Onde está Link?

— Vendo o tabuleiro de Keno.

— Vejo você mais tarde.

Ela piscou para Ryan e foi embora.

— Ela é louca por ele, sabia? — disse Ryan confidencialmente.
— Sim, eu sei.
Ela deu um passo à frente.
— Existe alguma coisa que não saiba, sr. Atkins? — Ela observou seus lábios se curvarem diante da ênfase no seu sobrenome. — Imaginei se faria isso de novo para mim.
— Fazer o quê?
— Sorrir. Não tem sorrido para mim há vários dias.
— Não?
Ele não conseguiu deter a onda de ternura, mas contentou-se em retirar o cabelo do rosto dela.
— Não. Nem uma vez. Está arrependido?
— Estou. — Pierce equilibrou-a colocando uma das mãos no ombro dela e desejou que não olhasse para ele daquela maneira. Ele tinha conseguido reprimir o desejo ao compartilhar o mesmo quarto que ela. Agora, cercado por barulho, pessoas e luzes, ele sentia essa força do desejo crescer. Retirou a mão. — Gostaria que a levasse para cima?
— Vou jogar Vinte e Um — informou ela, de forma eloquente. — Há dias que sinto vontade, mas ficava me lembrando que jogar era tolice. Acabei de me esquecer disso.
Pierce segurou o braço dela quando Ryan começou a caminhar para a mesa.
— Quanto dinheiro tem com você?
— Ah, não sei. — Ryan remexeu a bolsa. — Cerca de 75 dólares.
— Tudo bem.
Se ela perdesse, Pierce concluiu, 75 dólares não abririam um grande buraco na sua conta bancária. E foi com ela.
— Tenho assistido isso há dias — sussurrou ela ao sentar-se numa mesa de 10 dólares. — Tenho tudo calculado.
— Todo mundo não tem? — murmurou ele, e postou-se a seu lado.
— Dê à senhorita fichas no valor de 20 dólares — ele disse à banca.
— Cinquenta — corrigiu Ryan, contando as notas.
Diante do sinal de aprovação de Pierce, a banca trocou as notas por fichas coloridas.

— Vai jogar? —perguntou Ryan a ele.

— Não me arrisco.

Ela levantou as sobrancelhas.

— Como se chama ser pregado dentro de um caixote?

Ele exibiu-lhe um de seus lentos sorrisos.

— Minha profissão.

Ela riu e lançou-lhe um sorriso de provocação.

— É contra o jogo e outros vícios, sr. Atkins?

— Não. — Ele sentiu outro ímpeto de desejo e se conteve. — Mas gosto de calcular minhas próprias probabilidades. — Ele balançou a cabeça enquanto as cartas eram distribuídas. — Nunca é fácil derrotar a casa em seu próprio jogo.

— Sinto que estou com sorte esta noite — disse ela.

O homem ao lado de Ryan girou um bourbon e assinou seu nome numa folha de papel. Ele tinha acabado de apostar 2 mil dólares. Filosoficamente falando, ele comprou mais 5 mil dólares em fichas. Ryan viu um diamante cintilar no seu dedo mínimo enquanto as cartas eram distribuídas. *Três baralhos*, ela se lembrou, e levantou as pontas de suas cartas com cuidado. Viu um oito e um cinco. Uma jovem loura usando um Halston preto pegou uma batida e quebrou em 23. O homem do diamante manteve-se em 18. Ryan pegou outra batida e ficou satisfeita com mais cinco. Ela segurou e esperou pacientemente enquanto mais dois jogadores pegavam as cartas.

A banca tinha 14, virou a carta seguinte e chegou a 20. O homem com o diamante xingou baixinho quando perdeu mais 500 dólares.

Ryan contou suas cartas seguintes, assistiu as batidas e perdeu de novo. Determinada, ela esperou a terceira distribuição. Tirou 17. Antes que pudesse sinalizar à banca que passaria, Pierce fez sinal com a cabeça para que fosse dada a batida.

— Espere um minuto — disse Ryan.

— Pegue — disse ele simplesmente.

Com um ar zangado e dando de ombros, ela o fez. Bateu 20. Com os olhos arregalados, ela girou na cadeira para olhar para ele, mas ele estava observando as cartas. A banca manteve 19 e pagou.

— Ganhei! — exclamou ela, satisfeita com a pilha de fichas acumuladas. — Como sabia?

Ele apenas sorriu para ela e continuou a observar as cartas.

Na mão seguinte, ela tirou um dez e um seis. Teria pegado a batida, mas Pierce tocou seu ombro e balançou a cabeça. Engolindo o protesto, ela permaneceu firme. A banca quebrou em 22.

Ela riu, satisfeita, mas olhou para ele de novo.

— Como faz isso? — perguntou. — São três baralhos. Não é possível que consiga se lembrar de todas as cartas distribuídas ou calcular o que restou. — Ele não disse nada, e sua testa formou um vinco. — Consegue?

Pierce sorriu de novo e simplesmente balançou a cabeça. Então, ele conduziu Ryan à outra vitória.

— Quer dar uma olhada nas minhas? — perguntou o homem com o diamante, colocando desgostoso as cartas de lado.

Ryan inclinou-se na sua direção.

— Ele é um bruxo, sabia? Eu o levo a toda parte.

A jovem loira colocou o cabelo atrás da orelha.

— Eu mesma gostaria de um ou dois feitiços. — Ela lançou um convite a Pierce. Ryan atraiu sua atenção quando as cartas foram distribuídas.

— As minhas — disse ela friamente e não viu a testa de Pierce subir. A loira voltou às cartas.

Na hora seguinte, a sorte de Ryan — ou de Pierce — se manteve. Quando a pilha de fichas à sua frente tinha crescido de forma considerável, ele abriu sua bolsa e enfiou-as dentro.

— Ah, mas espere. Estou apenas começando.

— O segredo de vencer é saber quando parar — disse-lhe Pierce, e ajudou-a a descer do banco. — Converta-as em dinheiro, Ryan, antes que as perca.

— Mas eu queria jogar — disse ela, olhando para trás.

— Esta noite, não.

Com um suspiro pesado, ela despejou o conteúdo da bolsa no caixa. Junto com as fichas estavam um pente, um batom e um centavo que tinha sido achatado pela roda de um trem.

— É para dar sorte — disse ela quando Pierce pegou a moeda para examinar.

— Superstição, srta. Swan — murmurou ele. — Isso me surpreende.

— Não é superstição — insistiu ela, enfiando as notas na bolsa enquanto o caixa as contava. — É para dar sorte.

— Admito que errei.

— Gosto de você, Pierce. — Ryan enganchou seu braço no dele. — Achei que deveria lhe dizer.

— Gosta?

— Gosto — disse ela de modo definitivo.

Ela podia lhe dizer isso, pensou enquanto caminhavam para os elevadores. Era seguro e certamente verdade. Ela não lhe diria o que Bess tinha dito de forma tão casual. *Apaixonada*? Não, isso estava longe de ser seguro, e não era necessariamente verdade. Embora... embora ela estivesse ficando cada vez mais temerosa que fosse.

— Gosta de mim? — Ryan virou-se para ele e sorriu quando a porta do elevador fechou.

— Gosto, Ryan. — Ele passou os nós dos dedos sobre seu rosto. — Gosto de você.

— Não tinha certeza. — Ela aproximou-se dele, e ele sentiu um formigamento na pele. — Está com raiva de mim.

— Não, não estou com raiva de você.

Ela estava olhando para ele. Pierce podia sentir o ar ficar denso, como acontecia quando a tampa se fechava sobre ele numa caixa ou num baú. Seu ritmo cardíaco acelerou e com pura determinação mental ele o nivelou. Não ia tocá-la de novo.

Ryan viu alguma coisa passar em seus olhos. Um desejo. O dela aumentou também, porém mais, ela sentiu uma necessidade de tocar, de acalmar. Amar. Ela o conhecia agora, embora ele não estivesse ciente disso. Queria dar-lhe alguma coisa. Ela levantou a mão para tocar seu rosto, mas Pierce agarrou seus dedos nos dele quando a porta se abriu.

— Deve estar cansada — disse de modo pouco gentil e puxou-a para o corredor.

— Não.

Ryan riu com a nova sensação de poder. Ele estava apenas com um pouquinho de medo dela. Podia sentir. Algo disparou dentro dela — uma combinação de vinho, vitória e conhecimento. E ela o queria.

— Está cansado, Pierce? — perguntou quando ele destrancou a porta da suíte.

— É tarde.

— Não, nunca é tarde em Las Vegas. — Ela jogou sua bolsa para o lado e se esticou. — Não existe tempo aqui, não sabe? Não há relógios. — Ela levantou o cabelo e deixou-o cair lentamente pelos dedos. — Como pode ser tarde quando não sabe que horas são? — Ela avistou os papéis sobre a mesa e foi até eles, tirando os sapatos enquanto caminhava. — Trabalha demais, sr. Atkins. — Rindo, ela se virou novamente para ele. — A srta. Swan também é assim, não é?

Seu cabelo tinha se enroscado nos dedos, e seu rosto estava corado. Seus olhos estavam vivos, dançando, seduzindo. Neles, ele viu que seus pensamentos não eram segredo para ela. O desejo era um golpe de martelo no seu estômago. Pierce não disse nada.

— Mas você gosta da srta. Swan — murmurou ela. — Eu, nem sempre. Venha se sentar. Explique isso para mim.

Ryan afundou no sofá e pegou um dos papéis dele. Estava coberto de desenhos e anotações que não faziam nenhum sentido para ela. Pierce então se mexeu, dizendo a si mesmo que era apenas para impedir que ela perturbasse seu trabalho.

— É complicado demais. — Ele pegou a folha de sua mão e colocou-a de volta.

— Tenho uma mente muito rápida. — Ryan puxou o braço dele até ele se sentar a seu lado. Ela olhou para ele e sorriu.

— Sabe que quando olhei pela primeira vez em seus olhos achei que meu coração tinha parado. — Ela colocou a mão no rosto dele. — Na primeira vez que você me beijou eu sei que ele parou.

Pierce pegou a mão dela novamente, sabendo que estava perto do limite. A mão livre dela subiu pela frente da camisa até sua garganta.

— Ryan, você deveria ir para a cama.

Ela podia ouvir o desejo na voz dele. Sob a ponta de seu dedo a pulsação da garganta dele latejava depressa. O coração dela começou a equiparar-se com o ritmo.

— Ninguém nunca me beijou assim antes — murmurou ela e deslizou os dedos para o primeiro botão de sua camisa. Ela o desabotoou, observando seus olhos. — Ninguém nunca me fez sentir assim antes. Foi mágica, Pierce?

Ela afrouxou o segundo e o terceiro botões.

— Não.

Ele levantou o braço para deter os dedos afoitos que o estavam enlouquecendo.

— Acho que foi. — Ryan se moveu e prendeu seu lóbulo entre os dentes de leve. — Sei que foi.

A respiração em forma de sussurro foi diretamente para a boca do estômago dele, para alimentar as chamas. Elas estavam altas e ameaçavam explodir. Agarrando-a pelos ombros, Pierce começou a afastá-la, mas as mãos dela estavam em seu peito nu. Sua boca roçou a garganta dele. Seus dedos se apertaram enquanto o cabo de guerra prosseguia dentro dele.

— Ryan. — Embora ele se concentrasse, não conseguia controlar sua pulsação. — O que está tentando fazer?

— Estou tentando seduzi-lo — murmurou ela, seguindo o rastro dos dedos com os lábios. — Está funcionando?

As mãos dela desceram por seu tórax para brincar de leve sobre o seu estômago. Sentiu o tremor da reação e tomou mais coragem.

— Sim, está funcionando com perfeição.

Ryan riu, um som gutural e quase zombeteiro que fez o sangue dele latejar. Embora ele não a tocasse, não era mais capaz de impedi-la de tocá-lo. As mãos dela eram macias e provocantes enquanto a língua dela passava de leve em sua orelha.

— Tem certeza? — sussurrou ela, enquanto retirava a camisa de seus ombros. — Talvez eu esteja fazendo algo errado. — Ela levou a boca até o queixo dele e deixou a língua correr brevemente sobre seus lábios. — Talvez não queira que o toque assim. — Ela desceu com a ponta do dedo pelo centro do seu peito até o cós de seu jeans.

— Ou assim. — Mordiscou seu lábio inferior, ainda observando seus olhos.

Não, ela estava errada. Eles eram pretos, não cinza. Seus desejos guiaram-na até ela pensar que seria tragada por eles. Poderia ser possível desejar tanto alguém? Tanto que todo o seu corpo doía e latejava e ameaçava se despedaçar?

— Desejei você quando desceu do palco esta noite — disse ela com a voz rouca. — Bem ali, enquanto acreditava que você era um mago, não um homem. E agora. — Ela correu os dedos pelo seu peito para colocá-los atrás de seu pescoço. — Agora, sabendo que você é homem, eu o quero mais. — Ela deixou seus olhos abaixarem até a boca dele, depois os ergueu de novo, até os olhos. — Mas talvez você não me queira. Talvez eu não... o excite.

— Ryan. — Ele tinha perdido a habilidade de controlar sua pulsação, seus pensamentos, sua concentração. Havia perdido a vontade de tentar encontrá-los de novo. — Não haverá como voltar atrás.

Ela riu, atordoada com a excitação, guiada pelo desejo. Deixou seus lábios pairarem um pouco acima dos dele.

— Promete?

Ryan exultou com o poder do beijo. A boca dele estava sobre a dela de forma ardente, intensa. Ela ficou sob ele com tamanha velocidade que não sentiu o movimento, apenas seu corpo rígido sobre o dela. Ele estava puxando sua blusa, impaciente com os botões. Dois voaram e aterrissaram em algum lugar sobre o carpete antes de a mão dele agarrar seu seio. Ryan gemeu e arqueou o corpo contra o dele, desesperada para ser tocada. Sua língua foi fundo para enroscar-se com a dela.

O desejo era ardente — clarões de calor, borrifadas de cor. A pele dela chamuscava onde ele a tocava. Estava nua sem saber como acontecera, e a carne desnuda dele fundiu-se com a dela. Seus dentes estavam sobre o seio dela, bem no limite do controle, depois sua língua passou pelo seu mamilo até ela gemer e comprimir-se mais.

Pierce podia sentir a martelada da sua pulsação, quase saboreá-la enquanto sua boca apressava-se para o outro seio. Os gemidos e as mãos dela estavam conduzindo-o além da razão. Ele estava preso numa fornalha, mas não haveria fuga dessa vez. Sabia que sua carne se derreteria dentro dela até que não restasse mais nada para mantê-lo separado. O calor, o cheiro dela, seu gosto, tudo rodopiava dentro da sua cabeça. Excitação? Não, isso era mais que excitação. Era obsessão. Deslizou os dedos dentro dela. Era tão macia, tão quente e úmida que não lhe restava mais controle.

Penetrou-a com um arrebatamento que atordoou os dois. Depois ela estava se movendo com ele, frenética e firme. Ele sentiu a dor do prazer impossível, sabendo que tinha sido o enfeitiçado, não o feiticeiro. Ele era inteiramente dela.

Ryan sentiu a respiração irregular dele junto ao seu pescoço. O coração dele ainda estava acelerado. *Por mim*, pensou ela de forma onírica enquanto flutuava no momento seguinte à paixão. *Meu*, pensou ela de novo, e suspirou. *Como Bess descobrira antes dela?* Ryan fechou os olhos e deixou-se levar.

Deve estar estampado no meu rosto como uma placa luminosa. É cedo demais para lhe dizer?, perguntou-se ela. *Espere*, decidiu, tocando o cabelo dele. Ela se daria tempo para acostumar-se ao amor antes de proclamá-lo. Naquele momento, sentiu que tinha todo o tempo do mundo.

Murmurou um protesto quando Pierce retirou seu peso de cima dela. Pouco a pouco, ela abriu os olhos. Ele ficou olhando para as mãos. Estava se amaldiçoando completamente.

— Eu machuquei você? — perguntou ele de forma rápida e agitada.

— Não — disse ela, surpresa, e lembrou-se da história de Bess. — Não, não me machucou, Pierce. Não conseguiria. Você é um homem muito gentil.

Os olhos dele retornaram aos dela, entristecidos, angustiados. Não houve gentileza nele quando a amou. Apenas desejo e desespero.

— Nem sempre — disse ele subitamente e pegou o jeans.

— O que está fazendo?

— Vou descer e reservar outro quarto. — Ele estava se vestindo depressa quando ela olhou. — Sinto muito que isso tinha acontecido. Eu não vou... — Ele parou quando olhou e viu lágrimas brotando nos olhos dela. Alguma coisa rompeu-se dentro de seu estômago. — Ryan, sinto muito. — Sentando-se ao lado dela de novo, ele enxugou uma lágrima com o polegar. — Jurei que não ia tocá-la. Não deveria ter feito isso. Você tinha bebido demais. Sabia disso e deveria ter...

— Droga! — Ela afastou a mão dele com um tapa. — Eu estava errada. Você *consegue* me machucar. Bem, não precisa reservar outro quarto. — Ela pegou a blusa. — Eu mesma vou reservar um. Não vou ficar aqui até você transformar algo maravilhoso em um erro.

Ela estava de pé e vestindo a blusa, que estava do lado avesso.

— Ryan, eu...

— Ora, cale a boca. — Vendo que os dois botões do meio estavam faltando, ela retirou a blusa de novo e ficou encarando-o, insolentemente nua, com os olhos em chamas. Ele quase a puxou para o chão e a tomou mais uma vez. — Sabia exatamente o que estava fazendo, ouviu bem? Exatamente! Se acha que bastam alguns drinques para me atirar a um homem, está errado. Queria você, achei que me quisesse. Então, se foi um erro, foi seu.

— Não foi um erro para mim, Ryan. — A voz dele tinha ficado suave, mas quando estendeu o braço para tocá-la, ela fez um movimento brusco para trás. Ele deixou a mão cair ao lado do corpo e escolheu as palavras com cuidado. — Queria você; talvez demais, pensei. E não fui tão gentil com você como gostaria de ter sido. É difícil para mim lidar com o fato de saber que não consegui me controlar.

Por um momento ela o examinou, depois enxugou as lágrimas com o dorso da mão.

— Queria se controlar?

— A questão é que tentei e não consegui. Nunca toquei uma mulher com menos... — Ele hesitou. — Cuidado — murmurou ele. — Você é muito pequena, muito frágil.

Frágil?, ela pensou, e levantou uma das sobrancelhas. Ninguém nunca a tinha classificado assim antes. Em outra ocasião, ela poderia ter gostado, mas agora sentia que havia apenas um jeito de lidar com um homem como Pierce.

— Tudo bem — disse ela, e respirou fundo. — Você tem duas escolhas.

Surpreso, Pierce uniu as sobrancelhas.

— Quais são?

— Pode reservar outro quarto ou pode me levar para a cama e fazer amor comigo de novo. — Ela deu um passo na sua direção. — Agora.

Ele viu o desafio em seus olhos e sorriu.

— Essas são minhas únicas escolhas?

— Acho que poderia seduzi-lo novamente se quiser bancar o teimoso — disse ela dando de ombros. — É com você.

Ele mergulhou os dedos no cabelo dela enquanto a puxava para perto.

— E se uníssemos duas dessas escolhas?

Ela lançou-lhe um olhar pensativo.

— Quais?

Ele abaixou sua boca até a dela para um beijo suave e demorado.

— Que tal se eu levá-la para a cama e você me seduzir?

Ryan permitiu que ele a levantasse nos braços.

— Sou uma pessoa razoável — concordou ela, enquanto ele caminhava para o quarto. — Estou disposta a discutir uma solução conciliatória contanto que eu faça as coisas do meu jeito.

— Srta. Swan — Pierce murmurou enquanto a colocava gentilmente sobre a cama. — Gosto do seu estilo.

Capítulo 9

O corpo de Ryan doía. Suspirando, ela aconchegou-se mais no travesseiro. Era um desconforto agradável. Fez com que se lembrasse da noite — a noite que tinha durado até o amanhecer.

Ela não sabia que tinha tanta paixão a dar ou tantas necessidades a preencher. Toda vez que pensara estar esgotada, de corpo e alma, bastava que ela o tocasse de novo, ou ele nela. A energia voltava ao seu corpo em grande quantidade e, com ela, as exigências inexoráveis do desejo.

Depois eles dormiram abraçados, enquanto os tons cor-de-rosa do nascer do sol adentravam o quarto. Acordando, agarrando-se ao sono, Ryan moveu-se na direção de Pierce, querendo abraçá-lo novamente.

Estava sozinha.

A confusão fez com que seus olhos se abrissem devagar. Deslizando as mãos sobre os lençóis a seu lado, Ryan encontrou-os frios. *Foi embora?*, pensou ela atordoada. Havia quanto tempo estava dormindo sozinha? Todo o seu prazer onírico chegou ao fim. Ryan tocou os lençóis novamente. *Não*, ela disse a si mesma, e se esticou, *ele está apenas no outro cômodo. Não teria me deixado sozinha.*

O telefone fez um barulho estridente e a despertou por completo.

— Sim, alô. — Ela atendeu no primeiro toque e tirou o cabelo do rosto com a mão livre. Por que a suíte estava tão tranquila?

— Srta. Swan?

— Sim, é a srta. Swan.

— Ligação de Bennett Swan. Por favor, fique na linha.

Ryan se sentou, puxando automaticamente os lençóis até os seios. Desorientada, imaginou que horas eram. E onde, pensou novamente, estava Pierce?

— Ryan, ponha-me a par.

A par?, ela repetiu em silêncio, ouvindo a voz do pai. Lutou para colocar os pensamentos em ordem.

— Ryan!

— Sim, desculpe.

— Não tenho o dia todo.

— Tenho assistido aos ensaios de Pierce diariamente — começou ela, desejando uma xícara de café e alguns momentos para se controlar. — Acho que vai descobrir que ele tem as áreas técnicas e a equipe bem preparadas. — Ela olhou em volta do quarto em busca de algum sinal dele. — Estreou ontem à noite, de forma impecável. Já discutimos algumas alterações para o especial, mas nada foi firmado ainda. Nesse momento, qualquer número novo que tenha bolado, ele está guardando para si.

— Quero algumas estimativas sólidas sobre o especial dentro de duas semanas — disse ele. — Poderemos ter uma alteração na programação. Você resolve com Atkins. Quero uma lista dos números propostos por ele e a margem de tempo para cada um.

— Já discuti isso com ele — disse Ryan friamente, chateada que seu pai estava invadindo seu território. — Sou a produtora, não sou?

— É — concordou ele. — Eu a verei no meu escritório quando voltar.

Ao ouvir o clique, Ryan desligou com um suspiro de exasperação. Tinha sido uma típica conversa de Bennett Swan. Ela esqueceu o telefonema e saiu da cama. O robe de Pierce estava dobrado sobre a cadeira, e Ryan o pegou e vestiu.

— Pierce? — Ryan correu para a área de estar da suíte, mas encontrou-a vazia. — Pierce? — ela chamou novamente, pisando em um dos botões perdidos de sua blusa. Distraidamente, Ryan o pegou e o enfiou no bolso do robe antes de atravessar a suíte.

Vazia. A dor começou em seu estômago e se espalhou. Ele a deixara sozinha. Balançando a cabeça, Ryan esquadrinhou os cômodos novamente. Ele deve ter lhe deixado um recado explicando por que e onde tinha ido. Não acordaria simplesmente e a abandonaria, não após a noite passada.

Mas não havia nada. Ryan tremeu, sentindo um frio repentino.

Era o padrão da sua vida, decidiu. Caminhando até a janela, ficou olhando para o letreiro apagado. Não importava de quem ela gostasse, a quem dava amor, as pessoas sempre seguiam seus caminhos. No entanto, de alguma forma, ela ainda esperava que fosse diferente.

Quando era pequena, havia sido sua mãe, uma jovem que adorava a vida glamourosa e seguia Bennett Swan pelo mundo. *Você é uma menina crescida, Ryan, e autossuficiente. Estarei de volta em alguns dias.* Ou *algumas semanas*, Ryan se lembrou. Sempre havia uma governanta ou outros empregados para cuidar dela. Não, ela nunca tinha sido abandonada nem maltratada. Apenas esquecida.

Depois foi seu pai, correndo daqui para ali em um minuto. Mas, é claro, ele providenciara para que ela tivesse uma babá confiável, a quem ele pagava um salário substancial. Então, ela foi mandada para a Suíça, o melhor internato que existia. *Aquela minha filha tem a cabeça no lugar. Está entre os dez melhores alunos da turma.*

Havia um presente caro no seu aniversário com um cartão imenso dizendo para prosseguir com o bom trabalho que estava fazendo. É claro que ela prosseguiu. Nunca teria arriscado desapontá-lo.

Nada muda, pensou Ryan enquanto se virava para se olhar no espelho. Ryan é forte. Ryan é prática. Ryan não precisa de todas as coisas que as outras mulheres precisam — abraços, gentileza, romance.

Eles estão certos, é claro, ela dizia a si mesma. É tolice ficar magoada. Nós nos queríamos. Passamos a noite juntos. Por que romantizar? Não tenho nenhum direito sobre Pierce. E ele não tem nenhum sobre mim. Ela tocou a lapela do seu robe e rapidamente soltou a mão. Movendo-se com rapidez, despiu-se e foi para o chuveiro.

Manteve a água numa temperatura quase insuportavelmente quente, permitindo que tivesse impacto total contra sua pele. Não ia pensar. Ela se conhecia muito bem. Se mantivesse sua mente com um espaço vazio, quando a abrisse de novo, saberia o que tinha de fazer.

O ar do banheiro estava fumegante e úmido quando ela saiu para se enxugar. Seus movimentos foram novamente bruscos. Havia trabalho a ser feito — anotações sobre ideias e planos. Ryan Swan, produtora executiva. Era no que ela devia se concentrar. Era hora de parar de se preocupar com as pessoas que não poderiam dar — ou não queriam dar — o que ela queria. Tinha que se fazer reconhecida no meio. Era tudo que realmente importava.

Enquanto se vestia, sentiu-se em sua calma perfeita. Os sonhos eram para quando se dormia, e ela estava plenamente acordada. Havia dúzias de detalhes a serem providenciados. Tinha reuniões a organizar, chefes de departamento com quem negociar. Decisões precisavam ser tomadas. Estava em Las Vegas havia bastante tempo. Conhecia o estilo de Pierce melhor que jamais esperava conhecer. E, mais importante para ela no momento, sabia precisamente o que queria como produto final. De volta a Los Angeles, Ryan poderia começar a colocar suas ideias em prática.

Ia ser sua primeira produção, mas de forma alguma seria a última. Dessa vez, tinha um caminho a traçar.

Ryan pegou o pente e passou-o pelo cabelo úmido. A porta abriu-se atrás dela.

— Então você está acordada.

Pierce sorriu e começou a caminhar até ela. O olhar de Ryan o deteve. Ressentimento e raiva, ele podia sentir as ondas dos sentimentos.

— Sim, estou acordada — disse ela calmamente e continuou a pentear o cabelo. — Estou acordada faz um tempo. Meu pai ligou mais cedo. Queria um relatório do andamento do projeto.

— Ah, é? — Suas emoções não eram direcionadas a seu pai, Pierce decidiu, observando-a atentamente. — Pediu alguma coisa para o serviço de quarto?

— Não.

— Deveria tomar café da manhã — disse ele, dando mais um passo em sua direção. Não foi adiante, sentindo a parede que ela havia erguido entre eles.

— Não, na verdade não quero. — Ryan pegou o rímel e começou a aplicá-lo com grande cuidado. — Vou tomar café no aeroporto. Volto para Los Angeles esta manhã.

O tom frio e distante fez os músculos do estômago dele se contraírem. Ele poderia ter se enganado? A noite que tinham passado juntos significara tão pouco para ela?

— Esta manhã? — repetiu ele, utilizando o mesmo tom que ela.

— Por quê?

— Acho que já tenho uma boa ideia de como você trabalha e do que vai querer para o especial. — Ela manteve os olhos focados apenas em sua própria imagem no espelho. — Deveria começar com os estágios preliminares, depois podemos marcar uma reunião quando você voltar para a Califórnia. Ligarei para seu agente.

Pierce conteve as palavras que queria dizer. Ele nunca acorrentava ninguém, a não ser ele mesmo.

— Se é o que quer.

Os dedos de Ryan se apertaram no tubo de rímel antes de ela guardá-lo de volta.

— Nós dois temos trabalho a fazer. O meu é em Los Angeles; o seu, no momento, é aqui.

Ela virou-se para ir ao armário, mas ele colocou a mão sobre o ombro dela. Pierce soltou-a imediatamente quando ela enrijeceu.

— Ryan, eu magoei você?

— Magoou a mim? — repetiu ela, e continuou o caminho até o armário. Seu tom foi como um encolher de ombros, mas ele não pôde ver seus olhos. — Como é que poderia ter me magoado?

— Não sei. — Ryan retirou uma braçada de roupas. — Mas eu magoei. — Ele virou-a de frente para ele. — Posso ver em seus olhos.

— Esqueça — disse ela. — Eu esquecerei.

Ela começou a se afastar, mas dessa vez ele manteve suas mãos firmes.

— Não posso esquecer algo a menos que saiba o que é. — Embora mantivesse suas mãos leves, o aborrecimento estava no seu tom de voz. — Ryan, me diga qual é o problema.

— Deixa para lá, Pierce.

— Não.

Ryan tentou se desvencilhar de novo e mais uma vez ele a conteve. Ela disse a si mesma para ficar calma.

— Você me *abandonou*! — disse ela em tom explosivo e jogou as roupas de lado. A paixão irrompeu dela tão rápido que o deixou com o olhar fixo e sem fala. — Acordei e você já tinha ido, sem dizer uma palavra. Não estou acostumada a encontros de uma noite.

Os olhos dele se incendiaram diante disso.

— Ryan...

— Não, não quero ouvir. — Ela balançou a cabeça de forma vigorosa. — Esperava outra coisa de você. Estava errada. Mas tudo bem. Uma mulher como eu não precisa de todas as sutilezas. Sou especialista em sobrevivência. — Ela torceu o corpo, mas continuou presa junto ao dele. — Não faça isso! Me solte, tenho que arrumar as malas.

— Ryan. — Mesmo quando ela resistia, ele a abraçava mais firme. O sofrimento era profundo, pensou, e não tinha começado com ele. — Sinto muito.

— Quero que me solte, Pierce.

— Você não vai me ouvir se eu soltar. — Ele passou a mão pelo cabelo molhado dela. — Preciso que me escute.

— Não há nada a dizer.

A voz dela havia engrossado, e ele sentiu uma perversa punhalada de culpa. Como pôde ter sido tão idiota? Como pôde não ter visto o que seria tão importante para ela?

— Ryan, conheço encontros de uma noite muito bem. — Pierce afastou-a, apenas o suficiente para que pudesse ver seus olhos. — Não foi o que a noite passada representou para mim.

Ela balançou a cabeça com força, lutando para recobrar a serenidade.

— Você não precisa dizer isso.

— Eu já disse a você, Ryan. — Ele deslizou as mãos até seus ombros. — O que tivemos na noite passada foi muito importante para mim.

— Você não estava aqui quando acordei. — Ela engoliu em seco e fechou os olhos. — A cama estava fria.

— Desculpe. Fui resolver algumas coisas antes do show desta noite.

— Se tivesse me acordado...

— Não pensei em acordá-la, Ryan — disse ele baixinho. — Como nunca pensei em como pudesse se sentir acordando sozinha. O sol estava entrando no quarto quando você adormeceu.

— Você ficou acordado tanto quanto eu. — Ela tentou se afastar novamente. — Pierce, *por favor*! — Ouvindo o desespero no pedido, ela mordeu o lábio. — Me solte.

Ele abaixou as mãos e observou quando ela juntou as roupas de novo.

— Ryan, nunca durmo mais de cinco ou seis horas. É tudo de que preciso. — Era pânico que ele estava sentindo vendo-a dobrar uma blusa e colocá-la na mala? — Pensei que ainda estaria dormindo quando eu voltasse...

— Procurei você — disse ela. — E você havia ido.

— Ryan...

— Não, não faz diferença. — Ela comprimiu as mãos nas têmporas e soltou um suspiro profundo. — Desculpe. Estou agindo como uma idiota. Você não fez nada, Pierce. Sou eu. Sempre espero demais. Sempre me sinto confusa quando não consigo. — Rapidamente, ela voltou a arrumar as malas. — Não tive intenção de fazer uma cena. Por favor, esqueça.

— Não é algo que quero esquecer — murmurou ele.

— Eu me sentiria menos tola se soubesse que você esqueceria — disse ela, tentando suavizar a voz. — Basta atribuir tudo à falta de sono e má disposição. Mas tenho que ir. Tenho muito trabalho a fazer.

Ele tinha percebido as necessidades dela desde o princípio — sua reação à gentileza, seu prazer ao receber uma flor de presente. Ela era uma mulher emotiva e romântica que se esforçava muito para não ser. Pierce se amaldiçoou, pensando como ela devia ter se sentido ao encontrar a cama vazia após a noite que passaram juntos.

— Ryan, não vá.

Era difícil para ele. Era algo que nunca pedira a ninguém.

Os dedos dela hesitaram nos cadeados da mala. Ela os fechou, colocou a mala no chão e se virou.

— Pierce, não estou com raiva, honestamente. Um pouco constrangida, talvez. — Ela conseguiu dar um sorriso. — Realmente tenho que voltar e colocar as coisas em movimento. Talvez haja uma alteração na programação e...

— Fique — interrompeu ele, incapaz de se conter. — Por favor.

Ryan permaneceu em silêncio por um momento. Algo que ela viu nos olhos dele fez com que um bloqueio se instalasse em sua garganta. Estava sendo um pouco difícil para ele perguntar. Tal como ia ser um pouco difícil para ela perguntar.

— Por quê?

— Preciso de você. — Ele inspirou após o que foi para ele uma assombrosa aceitação. — Não quero perdê-la.

Ryan deu um passo na sua direção.

— Faz diferença?

— Faz. Sim, faz diferença.

Ela esperou um momento, mas não conseguiu se convencer a sair pela porta.

— Mostre — disse ela.

Ele caminhou até ela e a abraçou firme. Ryan fechou os olhos. Era exatamente do que ela precisava — ser abraçada, ser simplesmente abraçada. O peito dele estava firme junto ao seu rosto, seus braços fortes em volta dela. Ela sabia, porém, que estava sendo abraçada como se fosse algo precioso. Frágil, foi como ele a chamou. Pela primeira vez na vida, Ryan queria ser frágil.

— Ora, Pierce, não sou idiota.

— Não. — Ele levantou o queixo dela com o dedo e a beijou. — Você é tão doce. — Ele sorriu e repousou a testa na dela. — Vai reclamar quando eu acordá-la após cinco horas de sono?

— Nunca. — Rindo, ela lançou os braços em volta do pescoço dele. — Talvez um pouquinho.

Ela sorriu para ele, mas os olhos de Pierce ficaram repentinamente sérios. Ele envolveu a nuca de Ryan com a mão antes de sua boca abaixar-se até a dela.

Foi como da primeira vez — a suavidade, a leve pressão que transformou seu sangue em chamas. Ela ficava completamente impotente quando ele a beijava assim, sem conseguir puxá-lo para mais perto, incapaz de exigir. Podia apenas deixar que ele fizesse tudo a seu tempo. Pierce sabia que dessa vez o poder era apenas dele. Fez com que suas mãos se movessem suavemente enquanto a despiam. Deixou a blusa dela escorregar lentamente dos ombros, descer pelas costas, até tremular no chão. A pele dela tremeu quando as mãos dele passaram pelo seu corpo.

Abrindo o fecho da calça dela, ele abraçou-a pela cintura, deixando que seus dedos brincassem com o pequenino pedaço de seda e renda bem no alto de suas coxas. Todo o tempo sua boca mordiscava a dela. A respiração dela parou, então ela gemeu quando ele pôs um dos dedos dentro da seda. Mas não retirou. Em vez disso, deslizou a mão até seu seio para acariciar e provocar, até ela começar a tremer.

— Quero você — disse ela, trêmula. — Sabe quanto o quero?

— Sei. — Ele deu beijos suaves como borboletas em seu rosto. — Sei.

— Faça amor comigo — murmurou Ryan. — Pierce, faça amor comigo.

— Estou fazendo — murmurou ele, e comprimiu a boca na pulsação frenética do seu pescoço.

— Agora — pediu ela, fraca demais para puxá-lo para junto de seu corpo.

Ele riu, no fundo da garganta, e levou-a até a cama.

— Você me enlouqueceu ontem à noite, srta. Swan, me tocando assim.

Pierce passou o dedo pelo centro do seu corpo, parando para demorar-se no suave monte entre suas pernas. Devagar, preguiçosamente, ele fez com que sua boca seguisse o rastro. De noite ele fora acometido por uma loucura. Conheceu a impaciência, o desespero. Ele a tomara várias vezes, de forma apaixonada, mas fora incapaz de saborear. Foi como se ele estivesse faminto, e a gula o conduzira. Agora, embora não a desejasse menos, podia refrear a necessidade. Podia saborear, experimentar e se deleitar.

Os membros de Ryan estavam pesados. Ela não conseguia movê-los, podia apenas deixar que ele tocasse, acariciasse e beijasse qualquer lugar que desejasse. A força que a tinha conduzido na noite anterior havia sido substituída por uma fraqueza adocicada. Ela ficou tomada dela.

A boca dele demorou-se em sua cintura, a língua fazendo círculos mais embaixo enquanto ele corria as mãos de leve sobre ela, contornando o formato de seus seios, acariciando seu pescoço e seus ombros. Ele provocava, em vez de possuir; excitava, em vez de satisfazer.

Prendeu o cós da seda em seus dentes e abaixou-a alguns centímetros. Ryan arqueou e gemeu. Mas foi a pele da coxa dela que ele experimentou, saboreando até que ela soubesse que a loucura estava a um sopro de distância. Ela ouviu-se suspirando seu nome, um som suave e urgente, mas ele não respondeu. Sua boca estava ocupada fazendo maravilhas com a pele atrás do joelho dela.

Ryan sentiu a pele aquecida do peito dele roçar em sua perna, embora não tivesse ideia de como ou quando ele tinha se livrado da camisa. Nunca estivera mais consciente de seu próprio corpo. Descobriu o prazer entorpecente e celestial que podia vir do toque da ponta de um dedo sobre a pele.

Ele a estava levantando, pensou Ryan sem muita clareza, embora suas costas estivessem comprimidas contra a cama. Ele a estava fazendo levitar, fazendo-a flutuar. Estava lhe mostrando mágica, mas esse estado hipnótico não era ilusão.

Os dois estavam nus agora, enrolados um no outro enquanto a boca dele fez o caminho de volta até a dela. Ele a beijou devagar, profundamente, até que ela ficasse sem energia. Os dedos ágeis dele a excitavam. Ela não sabia que a paixão poderia puxar para os dois lados ao mesmo tempo — para o fogo, que chamusca, e para as nuvens.

Ela estava arfante, mas, mesmo assim, Pierce esperou. Ele lhe daria tudo primeiro, todas as gotas de prazer, todas as misteriosas delícias que conhecia. A pele de Ryan era como água nas mãos dele, fluindo, ondulando. Mordiscou e sugou de leve seus lábios inchados, e esperou seu gemido final de rendição.

— E agora, amor? — perguntou ele, espalhando leves beijos sussurrantes em seu rosto. — E agora?

Ela não conseguiu responder. Estava além das palavras e da razão. Era onde ele queria que ela estivesse. Feliz, ele riu e comprimiu a boca na garganta dela.

— Você é minha, Ryan? Diga. Minha.

— Sou. — Saiu como um suspiro rouco, mal se ouvia. — Sua. — Mas a boca dele engoliu as palavras quando ela as disse. — Faça amor comigo.

Ela não se ouviu dizer isso. Pensou que o pedido estava apenas em seu cérebro, mas, então, ele estava dentro dela. Ryan arfou e arqueou o corpo para encontrá-lo. E, ainda assim, ele se movia com doloroso vagar.

O sangue estava rugindo nos ouvidos dela quando ele teve o prazer final em sua forma plena. Os lábios dele roçaram os dela, capturando cada respiração trêmula.

De repente, ele comprimiu sua boca na dela — nada mais de suavidade, nada mais de provocação. Ela gritou quando ele a pegou com uma fúria repentina e selvagem. O fogo consumiu os dois, fundindo pele e lábios até Ryan pensar que ambos tinham morrido.

Pierce deitou sobre ela, repousando a cabeça entre seus seios. Ele ouviu o som das batidas de seu coração. Ela ainda não tinha parado de tremer. Os braços dela estavam agarrados em volta dele, com uma das mãos ainda emaranhada no cabelo dele. Ele não queria se mover. Queria mantê-la assim — sozinha, nua, dele. O desejo ardente de possessão o perturbou. Não era do seu feitio. Nunca tinha sido, antes de Ryan. O impulso era forte demais para resistir.

— Me diga de novo — pediu ele, levantando o rosto para observar o dela.

Os olhos de Ryan se abriram devagar. Ela estava entorpecida de amor, saciada de prazer.

— Dizer o quê?

A boca dele voltou à dela mais uma vez, e demorou-se ao fazer a última prova. Quando levantou o rosto, seus olhos estavam escurecidos e exigentes.

— Diga-me que é minha, Ryan.

— Sua — murmurou ela, enquanto seus olhos se fecharam outra vez. Ela suspirou, caindo no sono. — Por quanto tempo você me quiser.

Pierce franziu as sobrancelhas diante de sua resposta e começou a falar, mas sua respiração estava lenta e constante. Ele mudou de posição, deitou ao lado dela e puxou-a para perto.

Dessa vez, ele esperaria até que ela acordasse.

Capítulo 10

Ryan nunca vira o tempo passar tão rapidamente. Devia ter ficado feliz. Quando o compromisso de Pierce em Las Vegas terminou, eles puderam começar a trabalhar no especial. Era algo que estava ansiosa para fazer, por ela mesma e por ele. Sabia que poderia ser o momento decisivo da carreira dela.

Mas ela se viu desejando que as horas não passassem voando. Havia algo fantasioso sobre Las Vegas, com sua atemporalidade, suas ruas com bares barulhentos e cassinos reluzentes. Ali, com o toque de mágica por toda parte, parecia natural amá-lo, compartilhar da vida que ele vivia. Ryan não tinha certeza se seria tão simples assim quando retornassem ao mundo real.

Os dois estavam vivendo um dia de cada vez. Não havia conversa sobre o futuro. A explosão de possessividade de Pierce não ocorreu novamente, e Ryan ficou admirada. Ela quase acreditou que tinha sonhado com aquelas palavras profundas e insistentes.

Você é minha. Me diga.

Ele não tinha pedido de novo, nem havia lhe dedicado palavras de amor. Ele era gentil, às vezes extremamente gentil, com palavras, olhares ou gestos. Mas nunca estava completamente à vontade com ela. Nem Ryan jamais estava completamente à vontade com ele. A confiança não vinha fácil para nenhum dos dois.

Na noite de encerramento, Ryan vestiu-se com esmero. Queria uma noite especial. Champanhe, ela decidiu enquanto colocava um vestido leve e colorido. Pediria que enviassem champanhe para a suíte após a apresentação. Eles tinham uma longa e última noite para passar juntos antes do término do idílio.

Ryan fez um autoexame crítico no espelho. O vestido era transparente e muito mais ousado que seu estilo usual. *Pierce diria que era mais Ryan que srta. Swan,* pensou e riu. Ele estaria certo, como sempre. No momento, ela não se sentia absolutamente como a srta. Swan. Amanhã ela voltaria a usar roupas formais.

Ela colocou perfume nos pulsos e depois entre os seios.

— Ryan, se quiser jantar antes do show, terá que se apressar. São quase...

Pierce parou de repente ao entrar no quarto. Parou para olhar para ela. O vestido flutuava aqui, apertava ali, ajustando-se sedutoramente sobre seus seios em cores que se combinavam e escorriam como um quadro deixado na chuva.

— Você está tão linda — murmurou ele, sentindo a excitação familiar ao longo da pele. — Como algo com que eu talvez tenha sonhado.

Quando ele falava assim, fazia seu coração se derreter e a pulsação acelerar ao mesmo tempo.

— Um sonho? — Ryan caminhou até ele e passou os braços em volta do seu pescoço. — Que tipo de sonho você gostaria que eu fosse? — Ela beijou um dos lados de seu rosto e, depois, o outro. — Vai fazer aparecer um sonho para mim, Pierce?

— Você está cheirando a jasmim. — Ele enterrou o rosto no pescoço dela. Achava que nunca tinha desejado nada, nem ninguém, tanto em sua vida. — Isso me deixa louco.

— Feitiço de mulher. — Ryan inclinou a cabeça para dar à boca de Pierce mais liberdade. — Enfeitiçar o feiticeiro.

— Funciona.

Ela deu uma risada gutural e comprimiu-se mais contra ele.

— Não foi um feitiço de mulher que causou a destruição de Merlin no fim?

— Andou pesquisando? — perguntou ele dentro de sua orelha.

— Cuidado, estou no ramo há mais tempo que você. — Ele levantou o rosto e encostou seus lábios nos dela. — Você sabe que não é prudente se envolver com um mágico.

— Não sou nem um pouco prudente. — Ela deixou os dedos subirem pela nuca dele, depois pela sua espessa cabeleira. — Nem um pouco.

Ele sentiu uma onda de poder — e uma de fraqueza. Era sempre assim quando ela estava em seus braços. Pierce puxou-a para junto dele, outra vez, apenas para abraçá-la. Sentindo alguma resistência, Ryan permaneceu passiva. Ele tinha tanto a dar, pensou, tanta emoção que ele oferecia ou continha. Ela nunca poderia ter certeza do que ele escolheria fazer. *Mas não era a mesma coisa com ela?*, perguntou-se. Ela o amava, mas não conseguia dizer as palavras em voz alta. Mesmo enquanto o amor crescia, não conseguia dizê-las.

— Vai estar nos bastidores hoje à noite? — perguntou ele. — Gosto de saber que está lá.

— Vou. — Ryan inclinou a cabeça para trás e sorriu. Era tão raro ele pedir qualquer coisa. — Um dia desses vou perceber alguma coisa. Até mesmo a *sua* mão não é sempre mais rápida que o olho.

— Não? — Ele sorriu, divertindo-se com sua determinação contínua em apanhá-lo. — Sobre o jantar... — começou a dizer e brincou com o zíper na parte de trás do seu vestido. Ele estava começando a imaginar o que ela usava sob ele. Se decidisse, poderia colocar o vestido nos seus pés antes que ela conseguisse respirar.

— O que tem? — perguntou ela com um brilho de travessura nos olhos.

A batida na porta o fez praguejar.

— Por que não transforma quem quer que seja em sapo? — sugeriu Ryan. Depois, suspirando, ela repousou a cabeça no ombro dele. — Não, acho que seria grosseiro.

— Gosto da ideia.

Ela riu e recuou.

— Vou atender. Não posso ficar com isso na consciência. — Brincando com o botão de cima da camisa dele, ela levantou uma das sobrancelhas. — Não vai se esquecer em que estava pensando enquanto os mando embora?

Ele sorriu.

— Tenho uma memória muito boa.

Pierce soltou-a e observou-a se afastar. Ele concluiu que a srta. Swan não tinha escolhido aquele vestido, ecoando os pensamentos de Ryan.

— Encomenda para a srta. Ryan.

Ryan pegou a pequena caixa embrulhada sem enfeites e o cartão do mensageiro.

— Obrigada.

Após fechar a porta, ela largou o embrulho e abriu o envelope. A mensagem era breve e estava digitada.

Ryan,
   Seu relatório está bom. Espero um relato minucioso sobre o projeto de Atkins na volta. Primeira reunião programada para uma semana a partir de hoje. Feliz aniversário.
   Seu pai

Ryan leu duas vezes e depois deu uma olhada rápida no embrulho. *Ele não se esqueceria do meu aniversário*, pensou enquanto passava uma terceira vista de olhos pelas palavras datilografadas. Bennett Swan sempre cumpria suas obrigações. Ryan sentiu uma onda de desilusão, de raiva, de futilidade. Todas as emoções conhecidas da filha única de Swan.

Por quê?, ela se perguntou. Por que ele não tinha esperado e lhe dado algo pessoalmente? Por que tinha enviado uma mensagem impessoal que parecia um telegrama e um presentinho apropriado que sua secretária tinha, sem dúvida, escolhido? Por que não poderia ter simplesmente enviado lembranças?

— Ryan? — Pierce a observava do vão da porta do quarto. Ele a tinha visto ler a mensagem. Tinha visto o olhar vazio em seus olhos. — Más notícias?

— Não. — Rapidamente Ryan balançou a cabeça e enfiou a mensagem na bolsa. — Não, não é nada. Vamos jantar, Pierce. Estou morrendo de fome.

Ela estava sorrindo, estendendo a mão em busca da dele, mas não dava para disfarçar o sofrimento em seus olhos. Sem dizer nada,

Pierce tomou sua mão. Enquanto saíam da suíte, ela olhou para o embrulho que não abriu.

Como Pierce tinha pedido, Ryan assistiu ao espetáculo dos bastidores. Ela bloqueara da mente todos os pensamentos sobre seu pai. Era sua última noite de liberdade completa, e Ryan estava determinada a não permitir que nada a estragasse.

É meu aniversário, ela se lembrou. Vou fazer minha comemoração particular. Não tinha dito nada a Pierce porque havia se esquecido completamente do aniversário até a chegada da mensagem de seu pai. Agora, ela decidiu, seria tolice não mencionar. Afinal de contas, tinha 27 anos, estava velha demais para sentimentalismos por causa da passagem de um ano.

— Você estava maravilhoso, como sempre —disse ela a Pierce quando ele desceu do palco, com os aplausos retumbantes atrás. — Quando vai me contar como faz aquela ilusão?

— A mágica, srta. Swan, não tem explicação.

Ela estreitou os olhos para ele.

— Por acaso sei que Bess está no seu camarim neste momento e que a pantera...

— As explicações desapontam — interrompeu ele. Pegou sua mão a fim de conduzi-la ao seu camarim. — A mente é um paradoxo, srta. Swan.

— Conte-me — disse ela secamente, sabendo muito bem que ele não ia explicar nada.

Ele conseguiu manter o rosto sério e impassível enquanto tirava a camisa.

— A mente quer acreditar no impossível — ele continuou a dizer enquanto entrava no banheiro para se lavar. — Mas não acredita. Aí está o encanto. Se o impossível *não* for possível, então, como foi feito diante dos seus olhos e debaixo do seu nariz?

— É o que desejo saber — Ryan reclamou com a voz encobrindo o som da água corrente. Quando ele voltou, com uma toalha sobre o ombro, ela disparou um olhar direto e observador para ele. — Como sua produtora neste especial, eu deveria...

— Produzir — ele terminou a frase e vestiu uma camisa limpa. — Farei o impossível.

— É enlouquecedor não saber — disse ela de modo triste, mas abotoou a camisa dele.

— É.

Pierce apenas sorriu quando ela lhe lançou um olhar furioso.

— É apenas um truque — disse Ryan encolhendo os ombros, esperando chateá-lo.

— É?

O sorriso dele permanecia irritantemente amável. Reconhecendo a derrota, Ryan suspirou.

— Suponho que sofreria todos os tipos de tortura e não diria nada.

— Tinha alguma em mente?

Ela riu e então comprimiu a boca na dele.

— É apenas o começo — foi sua promessa perigosa. — Vou levá-lo para cima e enlouquecê-lo até falar.

— Interessante. — Pierce passou o braço em volta dos ombros dela e conduziu-a ao corredor. — Pode levar bastante tempo.

— Não estou com pressa — disse ela, alegre.

Eles foram para o último andar, mas quando Pierce começou a enfiar a chave na fechadura da suíte, Ryan colocou a mão sobre a dele.

— É sua última chance antes de eu ser mais incisiva — alertou ela. — Vou fazê-lo falar.

Ele apenas sorriu para ela e abriu a porta.

— Feliz aniversário!

Os olhos de Ryan se arregalaram de surpresa. Bess, ainda com a roupa do espetáculo, abriu uma garrafa de champanhe enquanto Link se esforçava ao máximo para colocar a bebida nas taças. Sem fala, Ryan ficou olhando para eles.

— Feliz aniversário, Ryan.

Pierce beijou-a de leve.

— Mas como... — Ela parou para olhar para ele. — Como sabia?

— Tome. — Bess colocou uma taça de champanhe na mão de Ryan e depois lhe deu um rápido aperto. — Beba tudo, querida. Só se comemora o aniversário uma vez ao ano. Graças a Deus. O champanhe é por minha conta, uma garrafa agora e outra mais tarde.

Ela piscou para Pierce.

— Obrigada. — Ryan olhou para a taça com um ar impotente. — Não sei o que dizer.

— Link tem uma coisa para você também —disse Bess a ela.

O grandalhão se mexeu de modo desconfortável enquanto todos os olhos se viraram para ele.

— Trouxe um bolo — murmurou ele, e então limpou a garganta.

— Você tem que ter um bolo de aniversário.

Ryan caminhou para ver um fino bolo decorado em cor-de-rosa e amarelo.

— Oh, Link. É maravilhoso.

— Você tem que cortar o primeiro pedaço — disse ele.

— Vou cortar, num minuto. — Levantando o braço, Ryan trouxe a cabeça dele para baixo até que pudesse alcançá-la na ponta dos pés e deu um beijo na sua boca. — Obrigada, Link.

Ele ficou corado, sorriu e lançou um olhar agoniado para Bess.

— De nada.

— Tenho uma coisa para você. — Ainda sorrindo, Ryan se virou para Pierce. — Vai me beijar também? — perguntou ele.

— Depois de ganhar meu presente.

— Interesseira — disse ele, e entregou-lhe uma pequena caixa de madeira.

Era antiga e talhada. Ryan passou o dedo sobre ela para sentir os locais que tinham ficado lisos com o tempo e o manuseio.

— É bonita — murmurou ela. Abriu-a e viu um pequenino símbolo de prata numa corrente. — Ah!

— Uma *ankh* — Pierce lhe disse, pegando-a para colocar em volta do pescoço dela. — Um símbolo egípcio da vida. Não é uma superstição — disse ele em tom sério. — É para dar sorte.

— Pierce. — Lembrando-se de seu centavo achatado, Ryan riu e lançou os braços em volta dele. — Nunca se esquece de nada?

— Não. Agora você me deve um beijo.

Ryan obedeceu, mas esqueceu que havia olhares sobre eles.

— Ei, queremos um pouco desse bolo. Não queremos, Link?

Bess passou o braço em volta da sua grossa cintura e sorriu quando Ryan olhou.

— Será que é tão gostoso quanto parece? — Ryan se perguntou em voz alta enquanto pegava a faca e cortava uma fatia. — Não sei quando foi a última vez que comi bolo de aniversário. Link, pegue o primeiro pedaço. — Ryan lambeu o glacê do dedo quando ele pegou o bolo. — Maravilhoso — fez seu julgamento e começou a cortar outra fatia. — Não sei como você descobriu. Eu mesma tinha esquecido até... — Ryan parou de cortar e endireitou o corpo. — Você leu minha mensagem — ela acusou Pierce.

Ele parecia convincentemente perplexo.

— Que mensagem?

Ela deu um suspiro impaciente, sem notar que Bess tinha pegado a faca e estava cortando o bolo.

— Remexeu a minha bolsa e leu a mensagem.

— Remexi a sua bolsa? — repetiu Pierce, levantando uma das sobrancelhas. — Ora, Ryan, eu faria algo tão grosseiro?

Ela pensou nisso por um momento.

— Sim, faria.

Bess deu um riso abafado, mas ele apenas lançou-lhe um leve olhar. Aceitou um pedaço de bolo.

— Um mágico não precisa chegar a bater carteiras para obter informação.

Link riu, um ruído surdo e profundo que pegou Ryan de surpresa.

— Como daquela vez que pegou as chaves do sujeito em Detroit? — ele lembrou a Pierce.

— Ou os brincos da senhora em Flatbush — disse Bess. — Ninguém tem a mão mais leve que você, Pierce.

— É mesmo? — Ryan emitiu as palavras enquanto voltou o olhar para ele.

Pierce deu uma mordida no bolo e não disse nada.

— Ele sempre devolve no fim do show — prosseguiu Bess. — Que bom que Pierce não se decidiu por uma vida criminosa. Pense no que aconteceria se ele começasse a arrombar cofres pelo lado de fora e não de dentro.

— Fascinante — concordou Ryan, estreitando os olhos para ele.

— Adoraria saber mais sobre isso.

— E naquela vez em que você fugiu daquela pequena cadeia em Wichita, Pierce? — prosseguiu Bess. — Sabe, quando eles prenderam você por...

— Tome um pouco mais de champanhe, Bess — sugeriu Pierce, erguendo a garrafa e inclinando-a em sua taça.

Link deu outra risada vigorosa.

— Gostaria de ter visto a cara do delegado quando olhou e viu a cela vazia, completamente trancada e arrumada.

— Fuga de prisão — refletiu Ryan, fascinada.

— Houdini fazia isso de forma rotineira.

Pierce entregou-lhe uma taça de champanhe.

— É, mas ele combinava com os policiais primeiro.

Bess riu do olhar que Pierce deu para ela e cortou outro pedaço de bolo para Link.

— Bater carteiras, fugir de prisões. — Ryan gostou do ligeiro desconforto que viu nos olhos de Pierce. Não era com frequência que ela o tinha em desvantagem. — Existem outras coisas sobre as quais eu deveria saber?

— Parece que você já sabe demais — comentou ele.

— É. — Ela lhe deu um beijo sonoro. — E é o melhor presente de aniversário que já recebi.

— Vamos embora, Link. — Bess levantou a garrafa de champanhe, que estava pela metade. — Vamos acabar com isso e com o seu bolo. Deixemos que Pierce saia dessa. Você deveria contar a ela sobre aquele vendedor em Salt Lake City.

— Boa noite, Bess — disse Pierce de modo suave, e ganhou outra risada.

— Feliz aniversário, Ryan.

Bess deu um reluzente sorriso para Pierce enquanto puxava Link para fora do quarto.

— Obrigada, Bess. Obrigada, Link. — Ryan esperou até a porta se fechar antes de olhar novamente para Pierce. — Antes de falarmos sobre o vendedor em Salt Lake City, por que estava na cadeia em Wichita? — Os olhos dela riam para ele sobre a borda da taça.

— Um mal-entendido.

— É o que todos dizem. — Sua sobrancelha arqueou. — Um marido ciumento, talvez?

— Não, um assistente de delegado que ficou chateado quando se viu preso ao banco do bar com suas próprias algemas. — Pierce deu de ombros. — Ele não ficou grato quando o soltei.

Ryan abafou uma risada.

— Não, imagino que não tenha ficado.

— Uma pequena aposta — acrescentou Pierce. — Ele perdeu.

— Então, em vez de pagar — concluiu Ryan —, ele jogou você no xadrez.

— Algo do tipo.

— Um criminoso desesperado. — Ryan deu um suspiro. — Suponho que estou à sua mercê. — Ela largou a taça e foi até ele. — Foi muita delicadeza de sua parte fazer isso por mim. Obrigada.

Pierce pôs o cabelo dela para trás.

— Um rosto tão sério — murmurou ele e beijou seus olhos fechados. Pensou na dor que tinha visto neles quando ela leu a carta do pai. — Não vai abrir o presente do seu pai, Ryan?

Ela balançou a cabeça e colocou o rosto no ombro dele.

— Não, esta noite não. Já recebi os presentes que importam.

— Ele não se esqueceu de você, Ryan.

— Não, ele não esqueceria. Estaria marcado no seu calendário. Ah, sinto muito. — Ela balançou a cabeça mais uma vez, afastando-se. — Isso foi mesquinho. Sempre quis demais. Ele realmente me ama, do jeito dele.

Pierce tomou suas mãos nas dele.

— Ele só conhece o jeito dele.

Ryan olhou de novo para ele. Sua carranca se transformou numa expressão de compreensão.

— É, você tem razão. Nunca pensei nisso desse jeito. Fico lutando para agradá-lo a fim de que ele se vire para mim um dia e diga "Ryan, eu amo você. Tenho orgulho de ser seu pai". É ridículo. — Ela suspirou. — Sou adulta, mas continuo esperando.

— Nunca deixamos de querer isso de nossos pais.

Pierce puxou-a para junto dele de novo. Ryan pensou na infância dele enquanto imaginava a dela.

— Seríamos pessoas diferentes, não seríamos, se nossos pais tivessem agido de forma diferente?

— Sim — respondeu ele. — Seríamos.

Ryan inclinou a cabeça para trás.

— Eu não gostaria que você fosse diferente, Pierce. Você é exatamente o que desejo. — Ávida, ela comprimiu sua boca na dele. — Leve-me para a cama — sussurrou ela. — Diga-me em que estava pensando naquela hora antes de sermos interrompidos.

Pierce levantou-a, e ela se agarrou, deliciando-se com a força dos seus braços.

— Na verdade — ele começou a dizer, passando para o quarto —, estava imaginando o que você usava sob o vestido.

Ryan riu e comprimiu a boca na garganta dele.

— Bem, não há quase nada para ficar imaginando.

O quarto estava escuro e quieto, enquanto Ryan estava deitada enroscada ao lado de Pierce. Os dedos dele brincavam distraidamente com o cabelo dela. Ele pensou que ela estivesse dormindo; estava imóvel. Ele não se importava em estar acordado. Permitia-lhe aproveitar o toque da pele dela em contato com a dele, a textura sedosa do cabelo dela. Enquanto Ryan dormia, podia tocá-la sem despertá-la, apenas para se consolar com sua presença. Não gostava de saber que ela não estaria na sua cama na noite seguinte.

— Em que está pensando? — murmurou ela, e o assustou.

— Em você. — Ele puxou-a para mais perto. — Pensei que estivesse dormindo.

— Não. — Ele sentiu o roçar das sobrancelhas dela no seu ombro quando ela abriu os olhos. — Estava pensando em você. — Ela levantou o dedo e contornou o maxilar dele. — Onde arrumou esta cicatriz?

Ele não respondeu de imediato. Ryan percebeu que tinha inadvertidamente invadido seu passado.

— Acho que foi numa batalha com uma feiticeira — disse ela rapidamente, desejando poder retirar a pergunta.

— Não foi algo tão romântico. Rolei da escada quando era criança.

Ela prendeu a respiração um momento. Não tinha esperado que ele falasse nada sobre o passado, até mesmo um detalhe tão pequeno. Mudou de posição e repousou a cabeça em seu peito.

— Tropecei num banco uma vez e um dente ficou mole. Meu pai ficou furioso quando descobriu. Fiquei apavorada que o dente caísse e ele me deserdasse.

— Ele apavorava você tanto assim?

— Sua desaprovação, sim. Acho que era tolice.

— Não. — Fitando o teto escuro, Pierce continuou a afagar o cabelo dela. — Todos temos medo de alguma coisa.

— Até mesmo você? — perguntou ela com um meio sorriso. — Acredito que não tenha medo de nada.

— De não conseguir sair uma vez que estiver dentro — murmurou ele.

Surpresa, Ryan levantou os olhos e viu o brilho dos olhos dele na escuridão.

— Está falando de suas fugas?

— O quê?

Ele voltou a atenção para ela. Não tinha percebido que havia falado alto.

— Por que executa as fugas então?

— Acha que se você ignorar um medo ele desaparece? — perguntou ele. — Quando eu era pequeno — disse ele com calma —, foi um armário, e não consegui sair. Agora é uma mala-armário, ou um cofre, e eu consigo escapar.

— Oh, Pierce. — Ryan virou o rosto para o peito dele. — Desculpe. Não precisa falar sobre isso.

Mas ele se sentiu compelido a fazer isso. Pela primeira vez desde sua infância Pierce se ouviu falando do assunto.

— Acho que a lembrança do cheiro permanece com você mais tempo do que qualquer outra coisa. Sempre conseguia me lembrar do cheiro do meu pai de modo nítido. Só dez anos depois da última vez que o vi foi que descobri o que era. Ele cheirava a gim. Eu não poderia lhe dizer sobre sua aparência, mas me lembrava do cheiro.

Ele continuava a fitar o teto enquanto falava. Ryan sabia que Pierce a tinha esquecido enquanto voltava ao passado.

— Uma noite, quando eu tinha cerca de 15 anos, estava no porão. Gostava de ficar lá quando todo mundo estava dormindo. Deparei com o zelador desmaiado num canto com uma garrafa de gim. Aquele cheiro... lembro-me de ter ficado apavorado por um momento, sem ter nenhuma ideia do motivo. Mas eu fui e peguei a garrafa, e então soube. Parei de ter medo.

Pierce ficou em silêncio por um longo tempo, e Ryan não disse nada. Ela esperou, querendo que ele continuasse, mas sabendo que não podia lhe pedir isso. O quarto estava tranquilo, a não ser pelo som do coração dele batendo sob seu ouvido.

— Ele era um homem muito cruel e muito doente — murmurou Pierce, e ela sabia que ele falava novamente do pai. — Por vários anos eu tinha certeza que isso queria dizer que eu tinha a mesma doença.

Apertando-o mais firme, Ryan balançou a cabeça.

— Não há nada de cruel em você — sussurrou ela. — Nada.

— Pensaria isso se lhe dissesse de onde vim? — perguntou-se ele.

— Estaria disposta a me deixar tocá-la então?

Ryan levantou a cabeça e engoliu as lágrimas.

— Bess me contou há uma semana — disse ela com firmeza. — E eu estou aqui. — Pierce não disse nada, mas ela sentiu a mão dele afastar-se do cabelo dela. — Você não tem direito de ficar com raiva dela. É a pessoa mais leal e amorosa que já conheci. Ela me contou porque sabia que eu me importava, sabia que eu precisava compreendê-lo.

Ele estava imóvel.

— Quando?

— Na noite... — Ryan hesitou e inspirou. — Na noite de estreia. — Ela gostaria de ver a expressão dele, mas a escuridão a ocultava. — Você disse que seríamos amantes quando o conheci. Você tinha razão. — Como a voz dela tremia, ela engoliu em seco. — Se arrepende?

Pareceu-lhe uma eternidade até ele responder.

— Não. — Pierce puxou-a para junto do corpo novamente. — Não. — Ele beijou sua têmpora. — Como poderia me arrepender de ser seu amante?

— Então não lamente o fato de eu conhecê-lo. Você é o homem mais maravilhoso que já conheci.

Ele riu disso, divertido e comovido ao mesmo tempo. E aliviado, descobriu. O alívio era tremendo. Fez com que ele risse de novo.

— Ryan, que coisa incrível você disse.

Ela inclinou o queixo para cima.

— É verdade, mas não vou dizer novamente. Você vai ficar convencido. — Ela levou a mão até o rosto dele. — Mas só esta noite eu vou deixar você se deleitar. E, além disso — acrescentou ela, puxando a orelha dele —, gosto do jeito como suas sobrancelhas se levantam nas extremidades. — Ela beijou sua boca e deixou que seus lábios vagassem pelo rosto dele. — E como assina seu nome.

— Como o quê? — perguntou ele.

— Nos contratos — explicou Ryan, ainda dando ligeiros beijos em todo o seu rosto. — É muito vistoso. — Ela sentiu o sorriso passar pelo rosto dele. — Do que gosta em mim? — perguntou ela.

— Do seu gosto — disse ele instantaneamente. — É impecável.

Ryan mordeu o lábio inferior dele, mas ele apenas virou-a de lado e transformou o castigo num beijo de muita satisfação.

— Sabia que deixaria você convencido — disse ela, com um ar de desgosto. — Vou dormir.

— Acho que não — comentou Pierce e abaixou a boca.

Mais uma vez ele tinha razão.

Capítulo 11

Despedir-se de Pierce foi uma das coisas mais difíceis que Ryan já havia feito. Ela ficara tentada a esquecer todas as obrigações, todas as suas ambições, e pedir que a levasse junto. O que eram as ambições senão objetivos vazios se ela não estava com ele? Ela lhe diria que o amava, que nada importava a não ser o fato de estarem juntos.

Mas quando se separaram no aeroporto, ela forçou-se a sorrir, dar-lhe um beijo de despedida e deixá-lo ir. Ela precisava ir para Los Angeles, e ele tinha que subir a costa. O trabalho que os unira também os separaria.

Não haviam falado do futuro. Ryan veio a descobrir que Pierce não falava do amanhã. O fato de que ele tinha lhe falado de seu passado, embora brevemente, a tranquilizou. Era um passo adiante, talvez maior do que eles tinham percebido.

O tempo, Ryan pensou, diria se o que ocorreu entre eles em Las Vegas aumentaria ou terminaria. Era o período de espera. Ela sabia que se ele tivesse arrependimentos, viriam à tona agora, enquanto estivessem separados. A distância nem sempre aumentava a saudade. Também permitia que o sangue e o cérebro esfriassem. As dúvidas costumavam se formar quando havia tempo para pensar. Quando ele estivesse em Los Angeles, para as primeiras reuniões, ela teria a resposta.

Quando Ryan entrou no escritório, deu uma olhada no relógio e infelizmente percebeu que o tempo e os horários faziam parte do seu mundo de novo. Tinha deixado Pierce havia apenas uma hora e já sentia uma intensa saudade dele. Ele estava pensando nela —

agorinha, neste exato momento? Se ela se concentrasse bastante, Pierce saberia que Ryan pensava nele? Ryan deu um suspiro e sentou-se atrás da mesa. Desde que se envolvera com Pierce, se tornara mais livre em sua imaginação. Havia momentos, ela admitia, em que acreditava em mágica.

O que aconteceu com você, srta. Swan?, perguntou a si mesma. *Seus pés não estão no chão, onde é o seu lugar. O amor*, ela refletiu, e apoiou o queixo nas mãos. *Quando se está apaixonada, nada é impossível.*

Quem poderia dizer por que seu pai tinha adoecido e a enviado para atender Pierce? Que força havia guiado a mão dela a escolher aquela fatídica carta do baralho de tarô? Por que a gata tinha escolhido sua janela na tempestade? Certamente, havia explicações lógicas para cada etapa que a levara a se aproximar de onde estava naquele momento. Mas uma mulher apaixonada não deseja lógica.

Tinha sido mágica, pensou Ryan, dando um sorriso. Desde o primeiro momento que seus olhos se encontraram, ela havia sentido isso. Simplesmente, custara a aceitar. Agora que tinha aceitado, sua única escolha era esperar e ver se durava. Não, ela corrigiu, não era momento para escolhas. Ela ia fazer com que durasse. Se exigisse paciência, então seria paciente. Se exigisse ação, então, agiria. Mas ia fazer dar certo, mesmo que significasse ela mesma experimentar a feitiçaria.

Balançou a cabeça e recostou-se na cadeira. Nada poderia ser feito até que ele estivesse novamente de volta à sua vida. Isso levaria uma semana. Por enquanto, ainda havia trabalho a ser feito. Não poderia agitar uma varinha de condão e fazer passar os dias até que ele voltasse. Tinha que preenchê-los. Abriu suas anotações sobre Pierce Atkins e começou a transcrevê-las. Menos de trinta minutos depois sua campainha soou.

— Sim, Barbara.

— O chefe quer vê-la.

Ryan franziu as sobrancelhas para o monte de documentos sobre sua mesa.

— Agora?

— Agora.

— Tudo bem, obrigada.

Resmungando a meia voz, Ryan empilhou os documentos e separou o que estava em ordem para levar com ela. Ele podia ter lhe dado algumas horas para se organizar, pensou. Mas o fato era que ele ia supervisionar o projeto por cima do seu ombro. Ela estava longe de provar seu valor para Bennett Swan. Sabendo disso, Ryan enfiou os documentos numa pasta e foi ver o pai.

— Bom dia, srta. Swan. — A secretária de Bennett Swan levantou os olhos quando Ryan entrou. — Como foi a viagem?

— Foi muito bem, obrigada.

Ryan observou os olhos da mulher deslocarem-se suavemente para as pérolas discretas e caras em suas orelhas. Havia colocado o presente do pai sabendo que ele desejaria vê-las para ter certeza de que eram corretas e tinham sido apreciadas.

— O sr. Swan teve de sair um momento, mas logo estará com a senhorita. Ele gostaria que esperasse no escritório dele. O sr. Ross já está lá dentro.

— Bem-vinda, Ryan.

Ned se levantou quando ela fechou a porta ao passar. O café que ele segurava estava fumegante.

— Olá, Ned. Vai participar da reunião?

— O sr. Swan quer que trabalhemos juntos nisso. — Ele lançou-lhe um sorriso encantador que era também um leve pedido de desculpas. — Espero que não se importe.

— Claro que não — disse ela francamente. Colocou a pasta sobre a mesa e aceitou o café que Ned lhe ofereceu. — Com que função?

— Serei coordenador de produção — disse ele. — O projeto ainda é seu, Ryan.

— É.

Com você como meu inspetor, ela pensou de modo amargo. Swan estaria dando as cartas.

— Como foi em Las Vegas?

— Sem igual — disse-lhe Ryan enquanto caminhava até a janela.

— Espero que tenha encontrado tempo para tentar a sorte. Você trabalha demais, Ryan.

Ela tocou a *ankh* no pescoço e sorriu.

— Joguei Vinte e Um e ganhei.
— Não brinca! Que bom!
Depois de dar uns goles no café, ela colocou a xícara de lado.
— Acho que tenho uma base firme sobre o que será conveniente para Pierce, a Swan Productions e a emissora — prosseguiu ela. — Ele não precisa de grandes nomes para atrair audiência. Acho que mais de uma estrela convidada o perturbaria. Quanto ao cenário, precisarei falar com os projetistas, mas tenho algo bem definido na cabeça. Quanto aos patrocinadores...
— Podemos falar de negócios mais tarde — interrompeu Ned. Ele foi até ela e enroscou a ponta do cabelo dela nos dedos. Ryan ficou parada e olhou pela janela. — Senti sua falta, Ryan — disse ele suavemente. — Parecia que você estava longe havia meses.
— Estranho — murmurou ela observando um avião cruzar o céu. — Nunca vi uma semana passar tão rápido.
— Querida, quanto tempo você vai me castigar? — Ele beijou a parte de cima da cabeça dela. Ryan não tinha nenhum ressentimento. Não sentia absolutamente nada. Estranhamente, Ned se via mais atraído por ela desde que o rejeitara. Havia algo diferente nela agora, que ele não conseguia identificar bem. — Se me desse uma chance, eu poderia consertar tudo.
— Não o estou castigando, Ned. — Ryan virou-se de frente para ele. — Desculpe-me se é assim que parece.
— Ainda está com raiva de mim.
— Não, eu lhe disse que não. — Ela suspirou, decidindo que seria melhor esclarecer as coisas entre eles. — Eu estava com raiva e magoada, mas não durou. Nunca estive apaixonada por você, Ned.
Ele não gostou do leve pedido de desculpas na voz dela. Colocou-o na defensiva.
— Estávamos apenas nos conhecendo.
Quando ele começou a segurar suas mãos, ela balançou a cabeça.
— Não, acho que não me conhece nem um pouco. E — acrescentou ela — se vamos ser honestos, não era isso que você buscava.
— Ryan, quantas vezes tenho que pedir desculpas por aquela sugestão ridícula?

Havia um misto de dor e arrependimento na voz dele.

— Não quero um pedido de desculpas, Ned. Estou tentando me explicar. Você cometeu um erro supondo que eu podia influenciar meu pai. Você tem mais influência sobre ele que eu.

— Ryan...

— Não, me escute — insistiu ela. — Você achou que por eu ser filha de Bennett Swan ele me ouve. Não só não é verdade como nunca foi. Seus parceiros de negócios têm mais entrada com ele do que eu. Desperdiçou seu tempo cultivando minha amizade para chegar até ele. E, deixando isso de lado — continuou ela —, não estou interessada num homem que quer me usar como trampolim. Tenho certeza que trabalharemos muito bem juntos, mas não desejo vê-lo fora do escritório.

Os dois se viraram quando ouviram a porta do escritório se fechar.

— Ryan... Ross.

Bennett Swan caminhou até a mesa e se sentou.

— Bom dia. — Ryan se atrapalhou um pouco com o cumprimento antes de pegar uma cadeira. *O que ele tinha ouvido?*, ela se perguntou. Seu rosto não revelava nada, então Ryan pegou a pasta. — Esbocei meus pensamentos e ideias sobre Atkins — ela começou a dizer —, embora não tenha tido tempo para fazer um relatório completo.

— Dê-me o que tem.

Ele acenou para que Ned se sentasse e então acendeu um charuto.

— Ele tem um número para apresentações em clubes muito conciso. — Ryan entrelaçou os dedos para mantê-los parados. — O senhor mesmo já viu os vídeos, então sabe que seu número varia de mágicas simples a grandes ilusionismos e fugas que levam dois ou três minutos. As fugas o manterão longe da câmera por esse período de tempo, mas o público espera isso. — Ela parou para cruzar as pernas. — É claro que sabemos que adaptações para a televisão serão necessárias, mas não vejo nenhum problema. Ele é um homem extraordinariamente criativo.

Swan resmungou algo que poderia ter sido um sinal de concordância e estendeu a mão para o relatório de Ryan. Ela se levantou, entregou-o e sentou-se novamente. Ele não estava em um de seus melhores dias, observou. Alguém o desapontara. Ela só poderia agradecer que esse alguém não tivesse sido ela.

— Isso é muito pouco — comentou ele, franzindo as sobrancelhas para a pasta.

— Não será, até o fim do dia.

— Eu mesmo conversarei com Atkins na semana que vem — declarou Swan enquanto examinava superficialmente os documentos. — Coogar vai dirigir.

— Bom. Eu gostaria de trabalhar com ele. Quero Bloomfield na montagem do set — disse ela casualmente e prendeu a respiração.

Swan levantou os olhos e ficou olhando para ela. Bloomfield tinha sido a escolha dele. Havia se decidido por ele menos de uma hora antes. Ryan encarou o olhar duro com determinação. Não tinha plena certeza se ele estava satisfeito ou chateado que sua filha estava um passo à sua frente.

— Vou refletir sobre o assunto — disse ele, e voltou ao relatório.

Sem fazer barulho, Ryan soltou o ar.

— Ele trará seu próprio diretor musical — prosseguiu ela, pensando em Link. — E tem sua própria equipe e apetrechos de palco. Se tivermos um problema, eu diria que será fazê-lo cooperar com o nosso pessoal na pré-produção e no set. Ele tem sua própria maneira de fazer as coisas.

— Isso pode ser resolvido — murmurou Swan. — Ross será seu coordenador de produção.

Ele levantou os olhos e viu os de Ryan.

— Assim entendo. — Ryan o olhou da mesma forma. — Não posso discutir com sua escolha, mas acho que se sou a produtora do projeto, deveria escolher minha própria equipe.

— Não quer trabalhar com Ross? — perguntou Swan como se Ned não estivesse sentado ao lado dela.

— Acho que eu e Ned trabalharemos muito bem juntos — disse ela de forma suave. — E tenho certeza que Coogar sabe os operadores de câmera que quer. Seria ridículo interferir em seu trabalho. No entanto — acrescentou ela com um ar de frieza na voz —, também sei quem *eu* quero que trabalhe no projeto.

Swan recostou-se e deu uma baforada no charuto. O rubor no seu rosto alertava sobre seu humor.

— O que é que você sabe sobre produção?

— O suficiente para produzir esse especial e torná-lo um sucesso — respondeu ela. — Como o senhor mandou que eu fizesse algumas semanas atrás.

Swan tinha tido tempo para arrepender-se do impulso que o fizera concordar com as condições de Pierce.

— Você é a produtora oficial — disse ele de forma ríspida. — Seu nome constará nos créditos. Basta seguir as orientações.

Ryan sentiu o tremor no estômago, mas manteve os olhos fixos.

— Se é assim que se sente, tire-me do projeto agora. — Ela levantou-se devagar. — Mas, se eu ficar, vou fazer mais que assistir meu nome passar nos créditos. Sei como o sujeito trabalha e conheço televisão. Se não for o suficiente para o senhor, arrume outra pessoa.

— Sente-se! — Swan gritou com ela. Ned afundou um pouco mais em sua cadeira, mas Ryan permaneceu de pé. — Não me dê ultimatos. Estou nesse negócio há quarenta anos. — Ele bateu a mão na mesa. — *Quarenta anos*! Então, você conhece televisão — disse ele com desdém. — Fazer um show ao vivo não é como alterar um maldito contrato. Não posso ter uma menininha histérica correndo para mim cinco minutos antes de entrar no ar me dizendo que existe uma falha no equipamento.

Ryan engoliu a raiva e respondeu, de modo frio.

— Não sou uma menininha histérica e nunca vim correndo atrás do senhor para nada.

Completamente atordoado, ele ficou olhando para ela. A pontada de culpa tornou sua raiva ainda mais explosiva.

— Você está apenas começando — vociferou ele, enquanto fechava a pasta. — E está começando porque eu quero. Vai aceitar meus conselhos quando eu lhe der.

— Seus conselhos? — perguntou Ryan. Os olhos dela cintilavam de emoções conflitantes, mas a voz estava muito firme. — Sempre respeitei seus conselhos, mas não ouvi nenhum aqui hoje. Apenas ordens. Não quero nenhum favor seu.

Ela se virou e se dirigiu para a porta.

— Ryan! — Havia fúria completa na palavra. Ninguém jamais havia deixado Bennett Swan falando sozinho. — Volte aqui e sente-se. *Menininha!* — gritou ele quando ela ignorou a ordem.

— Não sou sua menininha — retrucou ela, virando-se novamente. — Sou sua funcionária.

Confuso, ele ficou olhando para ela. Que resposta ele poderia dar a isso? Apontou para uma cadeira de forma impaciente.

— Sente-se — disse ele de novo, mas ela permaneceu na porta.

— Sente, sente — repetiu ele com mais exasperação que mau humor.

Ryan voltou e com calma retomou seu lugar.

— Pegue as anotações de Ryan e comece a trabalhar no orçamento — disse ele a Ned.

— Sim, senhor.

Grato por ser dispensado, Ned pegou a pasta e se retirou. Swan esperou a porta se fechar antes de olhar novamente para a filha.

— O que você quer? — perguntou ele pela primeira vez na vida.

O fato ocorreu aos dois no mesmo momento. Ryan demorou a separar os sentimentos pessoais dos profissionais.

— O mesmo respeito que demonstraria a qualquer outro produtor.

— Você não tem experiência — salientou ele.

— Não — concordou ela. — E nunca terei se o senhor amarrar minhas mãos.

Swan deu um suspiro, viu que seu charuto tinha apagado e colocou-o num cinzeiro.

— A emissora tem um horário experimental, o terceiro domingo de maio, dez para as nove no horário da Costa Leste.

— Isso só nos dá dois meses.

Ele assentiu com a cabeça.

— Eles querem antes do verão. Com que rapidez consegue trabalhar?

Ryan levantou uma das sobrancelhas e sorriu.

— O suficiente. Quero Elaine Fisher como estrela convidada.

Swan estreitou os olhos para ela.

— É tudo? — perguntou ele secamente.

— Não, mas é um começo. Ela é talentosa, bonita e tão popular com as mulheres quanto com os homens. Além do mais, tem experiência em trabalhar com clubes e com teatro ao vivo — salientou ela, enquanto Swan franzia as sobrancelhas e não dizia nada. — Aquele seu olhar ingênuo e arregalado é o contraste perfeito para Pierce.

— Ela está filmando em Chicago.

— O filme termina na próxima semana. — Ryan lançou-lhe um sorriso calmo. — E ela tem contrato com a Swan. Se o filme passar uma ou duas semanas do programado, não fará diferença — acrescentou ela, enquanto ele permaneceu calado. — Não precisaremos dela na Califórnia por mais que alguns dias. Pierce conduz o show.

— Ela tem outros compromissos — ressaltou Swan.

— Ela o encaixará.

— Ligue para seu agente.

— Farei isso. — Ryan levantou-se novamente. — Marcarei uma reunião com Coogar e entrarei em contato com o senhor de novo. — Ela parou por um momento e então, por impulso, deu a volta na mesa dele e parou a seu lado. — Eu o tenho observado trabalhar há anos — ela começou a dizer. — Não espero que tenha a confiança em mim que tem em si próprio ou em alguém com experiência. E se eu cometer erros, não gostaria que fossem ignorados. Mas se eu fizer um bom trabalho, e vou fazer, quero ter certeza que *eu* o fiz, não que apenas recebi o crédito por ele.

— É o seu show — disse ele simplesmente.

— Sim. — Ryan assentiu com a cabeça. — Exatamente. Existem muitas razões pelas quais o projeto é especialmente importante para mim. Não posso prometer não cometer erros, mas posso prometer que não existe ninguém que trabalhará com mais afinco nele.

— Não deixe Coogar lhe dar ordens — murmurou ele após um instante. — Ele gosta de enlouquecer os produtores.

Ryan sorriu.

— Ouvi as histórias, não se preocupe. — Ela estava indo embora novamente e então se lembrou. Após uma breve hesitação, ela inclinou-se para roçar os lábios em seu rosto. — Obrigada pelos brincos. São lindos.

Swan deu uma olhada neles. O joalheiro tinha assegurado à sua secretária que eram um presente apropriado e um bom investimento. *O que ele tinha escrito na mensagem que enviara com eles?*, perguntou-se. Envergonhado por não conseguir se lembrar, decidiu pedir uma cópia à secretária.

— Ryan. — Swan tomou sua mão. Vendo-a piscar de surpresa com o gesto, ele ficou olhando para os próprios dedos. Ele tinha ouvido toda a conversa dela com Ned antes de entrar no escritório. A conversa o tinha deixado com raiva, perturbado, e agora, quando viu a filha atordoada por ele pegar sua mão, ele ficou frustrado.

— Divertiu-se em Las Vegas? — perguntou, sem saber o que mais dizer.

— Sim. — Sem ter certeza do que fazer depois, Ryan voltou aos negócios. — Acho que foi uma boa ideia. Ver Pierce trabalhar de perto me deu uma boa perspectiva. É uma visão muito mais geral que num vídeo. E conheci as pessoas que trabalham com ele. Não terei problemas quando eles tiverem de trabalhar comigo. — Ela lançou outro olhar confuso para suas mãos unidas. *Ele poderia estar doente?*, ela se perguntou, e olhou rapidamente para seu rosto. — Eu... terei um relatório muito mais conciso para o senhor até amanhã.

Swan esperou até ela terminar.

— Ryan, quantos anos completou ontem?

Ele a observou de perto. Os olhos dela passaram de confusos a tristes.

— Vinte e sete — disse ela, sem demonstrar emoção.

Vinte e sete! Dando um longo suspiro, Swan soltou sua mão.

— Perdi alguns anos em algum lugar — murmurou ele. — Vá acertar as coisas com Coogar — disse ele, e remexeu os papéis sobre a mesa. — Envie-me um memorando após contatar o agente de Fisher.

— Tudo bem.

Por cima dos papéis, Swan observou-a caminhar até a porta. Quando ela saiu, ele recostou-se na cadeira. Achava perturbador perceber que estava envelhecendo.

Capítulo 12

Produzir, Ryan descobriu, a mantinha tão mergulhada em papelada quanto cuidar dos contratos. Passou os dias atrás da mesa, ao telefone ou no escritório de outra pessoa. Era um trabalho árduo e estafante, com pouco glamour. As horas eram longas; os problemas, infinitos. Mas ela descobriu que gostava. Era, afinal de contas, a filha de seu pai.

Swan não havia lhe dado liberdade, mas o confronto que tiveram na manhã do seu retorno a Los Angeles tinha tido seus benefícios. Ele a estava escutando. Na maior parte do tempo, ela o encontrou surpreendentemente de acordo com as suas propostas. Não vetou nada de forma arbitrária como ela temera que faria, mas fez algumas alterações. Swan conhecia o negócio de todos os ângulos. Ryan ouviu e aprendeu.

Os dias dela eram cheios e caóticos. Suas noites, vazias. Ryan sabia que Pierce não telefonaria. Não era do seu estilo. Ficaria na sua sala de trabalho, planejando, praticando, aperfeiçoando. Ela duvidava que ele até mesmo notaria o tempo passar.

É claro que ela poderia telefonar para ele, pensou, enquanto vagava pelo apartamento vazio. Poderia inventar inúmeras desculpas possíveis para ligar. Havia a mudança no horário de gravação. Era um motivo válido, embora ela soubesse que ele já tinha sido informado, por intermédio de seu agente. E havia pelo menos uma dúzia de pontos de menor importância que poderiam revisar antes da reunião da próxima semana.

Ryan olhou pensativa para o telefone e balançou a cabeça. Não era sobre negócios que queria falar com ele, e não usaria isso como desculpa. Foi até a cozinha e começou a preparar um jantar leve.

Pierce reviu o número com a água pela terceira vez. Estava quase perfeita. Mas quase nunca era bom o bastante. Ele pensou, não pela primeira vez, que a lente da câmera seria infinitamente mais aguçada que o olho humano. Toda vez que se assistira em vídeo, ele tinha encontrado falhas. Não importava que só ele sabia onde procurá-las. Só importava que existiam. Ele reviu a ilusão mais uma vez.

Sua sala de trabalho estava silenciosa. Embora soubesse que Link estava lá em cima, ao piano, o som não chegava até ele. Mas Pierce não teria ouvido nem se estivessem na mesma sala. Ele olhou-se de forma crítica num longo espelho enquanto a água parecia tremer num tubo sem suporte. O espelho o mostrava segurando-a, de cima a baixo, enquanto ela fluía de uma das mãos para a outra. Água. Era um dos quatro elementos que ele pretendia dominar para o especial de Ryan.

Pensava no especial como sendo dela, muito mais que seu. Pensava nela quando deveria estar pensando em seu trabalho. Com um movimento gracioso das mãos, fez a água voltar para uma jarra de vidro.

Ele quase telefonara para ela uma dúzia de vezes. Uma vez, às três horas da manhã, chegou a discar o número. Apenas sua voz... ele só queria ouvir sua voz. Não completou a chamada, lembrando-se de sua promessa de nunca impor nada a ninguém. Se ele telefonasse, significava que esperava que ela estivesse disponível para atendê-lo. Ryan era livre para fazer o que quisesse; ele não tinha direitos sobre ela. Nem sobre ninguém. Até a gaiola do pássaro ele mantinha aberta o tempo todo.

Não tinha havido ninguém em sua vida a quem ele pertencera. As assistentes sociais ditavam regras e tinham compaixão, mas, no final das contas, ele era apenas mais um número em um arquivo. A lei providenciara para que ele fosse devidamente acomodado e cuidado.

E a lei o mantivera atado a duas pessoas que não o queriam, mas se recusavam a libertá-lo.

Mesmo quando amava — como era o caso com Link e Bess —, ele aceitava, mas não exigia vínculos. Talvez fosse por isso que continuava a planejar fugas mais complicadas. Toda vez que conseguia executá-las, ficava provado que ninguém podia ficar preso para sempre.

Mas ele pensava em Ryan quando deveria estar trabalhando.

Pegou as algemas e as examinou. Haviam se encaixado sem problemas no pulso dela. Ele a tinha presa então. Sem qualquer propósito, ele colocou parte no seu pulso direito e brincou com a outra, imaginando a mão de Ryan presa à dele.

Era isso que ele queria?, perguntou-se. Prendê-la a ele? Lembrou-se da sua calidez, de como ele ficava envolvido por ela após apenas um toque. Quem estaria preso a quem? Chateado, Pierce se libertou tão rapidamente quanto tinha fechado a algema.

— *Em dose dupla, trabalho e problemas* — Merlin crocitou do seu poleiro.

Com ar divertido, Pierce olhou para ele.

— Acho que você tem razão — murmurou, sacudindo as algemas na mão um instante. — Mas também não conseguiu resistir a ela, não foi?

— *Abracadabra.*

— Abracadabra mesmo — concordou Pierce distraidamente. — Mas quem enfeitiçou quem?

Ryan estava prestes a entrar na banheira quando ouviu a batida na porta.

— Droga! — Irritada com a interrupção, vestiu novamente o robe e foi atender. Mesmo enquanto abria a porta, estava calculando como se livrar do visitante antes que a água da banheira esfriasse. — Pierce!

Ele viu os olhos dela se arregalarem de surpresa. Depois, com um misto de alívio e prazer, constatou a alegria. Ryan lançou-se em seus braços.

— É você mesmo? — perguntou antes de sua boca unir-se à dele. Seu desejo disparou pelo corpo dele, igualando-se ao seu sentimento.

— Cinco dias — murmurou Ryan, e agarrou-se a ele. — Sabe quantas horas existem em cinco dias?

— Cento e vinte. — Pierce afastou-a para sorrir para ela. — É melhor entrarmos. Seus vizinhos estão achando isso muito divertido.

Ryan puxou-o para dentro e fechou a porta, comprimindo-o contra ela.

— Beije-me — exigiu ela. — Bastante. O suficiente para cento e vinte horas.

A boca de Pierce desceu sobre a dela. Ela sentiu os dentes dele rasparem nos seus lábios enquanto ele gemia e comprimia o seu corpo contra o dele. Pierce esforçou-se para se lembrar da sua força e da fragilidade dela, mas a língua de Ryan estava indo fundo, suas mãos estavam à procura. Ela estava dando a risada rouca e provocante que o enlouquecia.

— Ah, é você mesmo. — Ryan suspirou e repousou a cabeça no ombro dele. — É você mesmo.

Mas, e você?, ele se perguntou, um pouco atordoado pelo beijo.

Após o último abraço, ela saiu de seus braços.

— O que está fazendo aqui, Pierce? Só esperava vê-lo na segunda ou na terça.

— Queria vê-la — disse ele simplesmente e levou a mão ao seu rosto. — Tocá-la.

Ryan agarrou sua mão e comprimiu a palma em seus lábios. Um fogo se acendeu na boca do seu estômago.

— Senti sua falta — murmurou ela, enquanto seus olhos grudavam nos dele. — Tanto! Se eu soubesse que desejar que estivesse aqui o traria, eu teria desejado com mais intensidade.

— Não tinha certeza que estaria livre.

— Pierce — disse ela suavemente e pôs as mãos em seu peito. — Realmente acha que quero estar com outra pessoa?

Ele ficou olhando para ela sem falar, mas ela sentiu o aumento da sua pulsação sob a mão.

— Você interfere no meu trabalho — disse ele por fim.

Perplexa, Ryan inclinou a cabeça.

— Interfiro? Como?

— Estando em minha mente quando não deveria estar.
— Sinto muito. — Mas ela sorriu, mostrando claramente que não sentia. — Tenho atrapalhado sua concentração?
— Tem.
Ela levou as mãos ao pescoço dele.
— Isso é muito ruim. — Sua voz estava zombeteira e sedutora. — O que vai fazer a respeito?

Como resposta, Pierce arrastou-a para o chão. O movimento foi tão rápido, tão inesperado, que Ryan ofegou, mas o som foi engolido pela boca dele. O robe foi arrancado dela antes que pudesse respirar. Pierce levou-a ao ápice tão rapidamente que ela ficou impotente para fazer qualquer coisa a não ser corresponder ao mútuo desejo desesperado.

As roupas dele se foram mais rápido do que o razoável, mas ele não lhe deu tempo para explorá-lo. Num único movimento, Pierce colocou-a sobre ele, e então, levantando-a como se ela não tivesse peso, abaixou seu corpo para mergulhar inteiramente dentro dela.

Ryan gritou, aturdida, feliz. A rapidez fez a cabeça dela girar. O calor fez sua pele suar. Seus olhos se arregalaram quando o prazer foi além de todas as possibilidades. Ela podia ver o rosto de Pierce, úmido de paixão, os olhos fechados. Podia ouvir cada respiração dilacerante quando ele cravava os longos dedos no seu quadril para mantê-la movendo-se com ele. Então, uma película cobriu os olhos dela — uma película branca e enevoada que obscurecia sua visão. Ela comprimiu as mãos no seu peito para não cair. Mas estava caindo, lentamente, devagar, exaurida de tudo.

Quando a névoa desapareceu, Ryan descobriu que estava nos seus braços, com o rosto dele enterrado no cabelo dela. Os corpos úmidos estavam fundidos.

— Agora sei que você é de verdade também. — murmurou Pierce, e serviu-se de sua boca. — Como se sente?
— Desnorteada — respondeu Ryan ofegante. — Maravilhosa.
Pierce riu. Ele se levantou e tomou-a nos braços.
— Vou levá-la para a cama e amá-la mais uma vez, antes que se recupere.

— Humm, sim. — Ryan aconchegou-se no pescoço dele. — Eu deveria esvaziar a banheira primeiro.

Pierce levantou uma das sobrancelhas e depois sorriu. Com Ryan semiadormecida em seus braços, ele vagou pelo apartamento até encontrar a banheira.

— Estava na banheira quando bati na porta?

— Quase. — Ryan suspirou e aninhou-se ao corpo dele. — Ia me livrar de quem tivesse me interrompido. Estava muito aborrecida.

Com um movimento rápido da mão, Pierce abriu a água quente ao máximo.

— Não notei.

— Não viu como eu estava tentando me livrar de você?

— Sou muito insensível às vezes — confessou ele. — Acho que a água já deve ter esfriado um pouco.

— Provavelmente — concordou ela.

— Você gosta bastante de banho de espuma.

— Humm-hum. Oh!

Os olhos de Ryan se abriram de repente quando descobriu que tinha sido colocada na banheira.

— Fria? — Ele sorriu para ela.

— Não. — Ryan levantou o braço e fechou a água que fumegava dentro da banheira. Por um momento ela permitiu que seus olhos se deleitassem com ele — o corpo comprido e esguio, os músculos vigorosos e o quadril estreito. Ela inclinou a cabeça e fez a espuma girar, com o dedo. — Gostaria de tomar banho comigo? — convidou ela educadamente.

— A ideia tinha me ocorrido.

— Por favor. — Ela fez um gesto com a mão. — Seja meu convidado. Fui muito grosseira. Nem lhe ofereci um drinque.

Ela lhe deu um sorriso irreverente.

A água levantou quando Pierce entrou. Ele sentou-se ao pé da banheira, de frente para ela.

— Não bebo com frequência — lembrou-lhe.

— Eu sei. — Ela assentiu com a cabeça de forma discreta. — Não fuma, raramente bebe, quase nunca fala palavrão. É um exemplo de virtude, sr. Atkins.

Ele atirou um punhado de espuma nela.

— De qualquer forma — continuou Ryan, retirando a espuma do rosto —, eu realmente queria falar sobre os esboços para a montagem do palco com você. Quer o sabonete?

— Obrigado, srta. Swan. — Ele o pegou. — Ia me falar sobre o palco?

— Ah, sim, acho que aprovará os esboços, embora talvez queira fazer umas pequenas alterações. — Ela mudou de posição, suspirando um pouco quando suas pernas roçaram nas dele. — Disse a Bloomfield que queria algo um pouco excêntrico, medieval, mas não desorganizado demais.

— Sem armadura?

— Não, apenas a atmosfera. Algo melancólico, como... — ela parou quando ele pegou seu pé e começou a ensaboá-lo.

— Sim? — instigou ele.

— Um tom — disse ela enquanto suaves pulsações de prazer subiram pela sua perna. — Cores sem brilho. Do tipo que você tem na sua sala de estar.

Pierce começou a massagear sua panturrilha.

— Apenas um palco?

Ryan tremeu na água quente quando ele deslizou os dedos ensaboados pela sua perna acima.

— Sim, pensei... humm... pensei num clima básico...

Ele subiu e desceu com as mãos lentamente pelas suas pernas enquanto observava seu rosto.

— Que clima?

Ele levantou uma das mãos para ensaboar seu seio em círculos enquanto usava a outra para massagear a parte superior da sua coxa.

— Sexy — murmurou Ryan. — Você é muito sexy no palco.

— Sou?

Em meio a ondas de sensação entorpecedoras, ela ouviu o tom divertido na pergunta.

— Sim, dramático e muito sexy em sua seriedade. Quando o vejo se apresentar... — Ela parou de falar, lutando em busca de ar. O perfume estonteante dos sais de banho a envolveu. Ela sentiu a água bater em seus seios, logo abaixo da mão ágil de Pierce. — Suas mãos — ela conseguiu dizer, imersa em prazer quente e torturante.

— O que têm elas? — perguntou ele enquanto deslizava o dedo dentro dela.

— Mágica. — A palavra saiu trêmula. — Pierce, não consigo falar com você fazendo essas coisas comigo.

— Quer que eu pare?

Ela não estava mais olhando para ele. Seus olhos estavam fechados, mas ele observava seu rosto, usando apenas as pontas dos dedos para excitá-la.

— Não.

Ryan encontrou sua mão sob a água e comprimiu-a junto ao seu corpo.

— Você é tão bonita, Ryan. — A água balançou quando ele se moveu para mordiscar seu seio e depois sua boca. — Tão macia. Eu conseguia vê-la quando estava sozinho no meio da noite. Podia imaginar tocá-la assim. Não conseguia ficar longe.

— Não faça isso. — As mãos dela estavam no cabelo dele, puxando sua boca para ela. — Não fique longe. Já esperei tanto tempo.

— Cinco dias — murmurou ele enquanto separava as pernas dela.

— Toda a minha vida.

Diante das palavras dela algo fluiu pelo corpo dele e ele tinha que possuí-la, era tudo.

— Pierce — murmurou Ryan, confusa. — Vamos afundar.

— Prenda a respiração — sugeriu ele, e agarrou-a.

— Tenho certeza de que meu pai vai querer vê-lo — Ryan disse a Pierce na manhã seguinte ao estacionar na sua vaga no estacionamento da Swan Productions. — E imagino que você gostaria de ver Coogar.

— Já que estou aqui — concordou Pierce, e desligou o motor. — Mas vim ver você.

Ryan deu um sorriso e inclinou-se para beijá-lo.

— Estou tão feliz por ter feito isso. Pode ficar no fim de semana ou tem que voltar?

Ele colocou uma mecha de cabelo atrás da orelha dela.
— Veremos.
Ela saiu do carro. Não poderia desejar melhor resposta.
— É claro que a primeira reunião geral só está programada para a próxima semana, mas imagino que vão encaixá-lo. — Eles entraram no prédio. — Posso fazer as ligações do meu escritório.

Ryan seguiu na frente pelos corredores com passos enérgicos, inclinando a cabeça ou respondendo às vezes quando alguém a cumprimentava. Ele notou que ela só pensava em negócios no momento em que passou pela porta da frente.

— Não sei onde Bloomfield está hoje — continuou ela, enquanto apertava o botão do elevador. — Mas se ele não estiver disponível, posso pegar os esboços e analisá-los com você sozinha. — Eles entraram, enquanto ela começava a resumir sua agenda do dia, ponderando e alterando para dar vez a Pierce. — Nós poderíamos rever a duração do programa também — continuou ela. — Temos 52 minutos para preencher. E...

— Quer jantar comigo hoje à noite, srta. Swan?

Ryan parou o que estava dizendo e o pegou sorrindo para ela. O olhar dele tornava difícil para ela recordar seus planos para o dia. Ela só conseguia se lembrar do que tinha feito de noite.

— Acho que poderia encaixar isso no meu horário, sr. Atkins — murmurou, quando a porta do elevador se abriu.

— Vai verificar sua agenda? — perguntou ele e beijou sua mão.

— Vou. — Ryan teve que impedir que a porta se fechasse de novo. — E não olhe desse jeito para mim hoje — disse ela ofegante. — Não conseguirei trabalhar.

— É mesmo? — Pierce deixou que ela o puxasse para o corredor. — Eu poderia considerar uma vingança adequada por todas as vezes que você tornou impossível que eu fizesse meu trabalho.

Amedrontada, Ryan levou-o para o escritório.

— Se vamos fazer esse especial... — ela começou a dizer.

— Ah, tenho plena confiança na srta. Swan, ela é muito organizada e muito confiável — disse Pierce tranquilamente. Ele pegou uma cadeira e esperou que ela se sentasse atrás da mesa.

— Vai ser difícil trabalhar com você, não vai?

— Muito provavelmente.

Franzindo a testa para ele, Ryan pegou o telefone e fez uma ligação.

— Ryan Swan — anunciou ela, afastando deliberadamente os olhos de Pierce. — Ele está livre?

— Por favor, espere, srta. Swan.

Num instante ela ouviu a voz do pai responder de modo impaciente.

— Ande rápido, estou ocupado.

— Sinto muito por perturbá-lo — disse ela automaticamente. — Estou com Pierce Atkins no escritório. Achei que talvez gostasse de vê-lo.

— O que ele está fazendo aqui? — perguntou Swan, continuando antes que Ryan pudesse responder. — Traga-o aqui em cima.

Ele desligou sem esperar que ela concordasse.

— Ele gostaria de vê-lo agora — disse Ryan enquanto colocava o fone no lugar.

Pierce assentiu com a cabeça, levantando quando ela o fez. A brevidade da conversa telefônica tinha lhe dito muita coisa. Minutos depois, após entrar no escritório de Swan, ele descobriu muito mais.

— Sr. Atkins. — Swan se levantou para dar a volta na mesa imponente com a mão estendida. — Que surpresa agradável. Só esperava encontrá-lo pessoalmente na semana que vem.

— Sr. Swan. — Pierce apertou a mão estendida e notou que Swan não cumprimentara a filha.

— Por favor, sente-se — sugeriu ele com um movimento amplo da mão. — O que gostaria de beber? Café?

— Não, nada.

— A Swan Productions tem enorme prazer em ter seu talento, sr. Atkins. — Swan instalou-se atrás da mesa novamente. — Vamos colocar muita energia nesse especial. A promoção e a mídia já foram acionadas.

— Eu sei. Ryan me mantém informado.

— Claro. — Swan balançou a cabeça rapidamente para ela. — Vamos filmar no estúdio 25. Ryan pode providenciar para que o veja hoje se quiser. E qualquer outra coisa que queira ver enquanto estiver aqui.

Ele lançou outro olhar para ela.

— Sim, claro — respondeu ela. — Achei que o sr. Atkins pudesse querer se encontrar com Coogar e Bloomfield se eles estiverem disponíveis.

— Providencie isso — ordenou ele, dispensando-a. — Agora, sr. Atkins, tenho uma carta do seu agente. Há alguns pontos que poderíamos repassar antes de se encontrar com a equipe mais artística da companhia.

Pierce esperou até que Ryan tivesse fechado a porta.

— Pretendo trabalhar com Ryan, sr. Swan. Assinei o contrato com esta condição.

— Naturalmente — respondeu Swan, um pouco desconcertado. Como regra, os artistas recebiam a atenção especial dele. — Posso lhe garantir que ela tem trabalhado arduamente em seu favor.

— Não duvido.

Swan encarou os olhos cinza que o avaliavam.

— Ryan está produzindo o especial a seu pedido.

— Sua filha é uma mulher muito interessante, sr. Swan. — Pierce esperou um momento, observando os olhos de Swan se estreitarem. — Profissionalmente — continuou ele suavemente —, tenho total confiança em suas habilidades. Ela é inteligente e observadora, e muito séria em relação aos negócios.

— Fico muito feliz que esteja satisfeito com ela — respondeu Swan, sem ter certeza do que havia além das palavras de Pierce.

— Teria que ser um homem extremamente burro para não estar satisfeito com ela — retrucou Pierce, e continuou antes que Swan pudesse reagir. — Não acha o talento e o profissionalismo agradáveis, sr. Swan?

Swan examinou Pierce por um momento e recostou-se na cadeira.

— Não seria o presidente da Swan Productions se não pensasse assim — disse ele com um tom bem-humorado.

— Então nos entendemos — disse Pierce em tom suave. — Quais pontos gostaria de resolver exatamente?

Eram seis horas quando Ryan conseguiu terminar a reunião com Bloomfield e Pierce. Ela correu o dia todo, organizando conferências e cumprindo o cronograma. Não houve um momento de folga para um *tête-à-tête* com Pierce. Agora, enquanto percorriam o corredor juntos ao saírem do escritório de Bloomfield, ela deu um longo suspiro.

— Bem, parece que é isso. Nada como o aparecimento inesperado de um mágico para agitar todo mundo. Por mais experiente que Bloomfield seja, acho que ele estava esperando que você tirasse um coelho da cartola.

— Eu não tinha uma cartola — ressaltou Pierce.

— Isso o impediria? — Ryan riu e olhou o relógio. — Terei que passar no escritório e resolver algumas coisas, falar com meu pai e avisá-lo que o artista foi devidamente atendido, então...

— Não.

— Não? — Ryan levantou os olhos, surpresa. — Existe mais alguma coisa que gostaria de ver? Tinha algo errado com os esboços?

— Não — disse Pierce novamente. — Você não vai voltar ao escritório para resolver nada nem falar com seu pai.

Ryan riu e continuou a caminhar.

— Não levará muito tempo. Vinte minutos.

— Concordou em jantar comigo, srta. Swan — lembrou ele.

— Assim que limpar minha mesa.

— Pode fazer isso na segunda pela manhã. Há algo urgente?

— Bem, não, mas... — Ela parou de falar quando sentiu algo no seu pulso e ficou olhando para a algema. — Pierce, o que está fazendo?

Ryan puxou o braço e viu que estava firmemente acorrentado ao dele.

— Levando-a para jantar.

— Pierce, tire isso — ordenou ela, irritada, mas achando graça. — É ridículo.

— Depois — prometeu ele, antes de puxá-la para o elevador.

Ele esperou calmamente até que chegasse ao andar correto enquanto duas secretárias os observavam.

— Pierce — disse ela a meia voz. — Tire isso agora. Estão olhando para nós.

— Quem?

— Pierce, estou falando sério! — Ela soltou um gemido de frustração quando as portas se abriram e eles encontraram outros empregados da Swan Productions. Pierce entrou no elevador, não lhe deixando outra escolha que não fosse segui-lo. — Você vai me pagar por isso — murmurou ela, tentando ignorar os olhares curiosos.

— Diga-me, srta. Swan — disse Pierce com uma voz amistosa e arrastada —, é sempre tão difícil convencê-la a jantar?

Após um murmúrio ininteligível, Ryan ficou olhando para frente. Ainda algemada a Pierce, ela atravessou o estacionamento.

— Tudo bem, acabou a piada — insistiu ela. — Tire isso. Nunca fiquei tão constrangida em minha vida! Tem ideia de como...

Mas seu sermão acalorado foi interrompido pela boca de Pierce.

— Queria fazer isso o dia todo — disse Pierce e beijou-a de novo, antes que ela pudesse responder

Ryan esforçou-se ao máximo para manter-se aborrecida. Sua boca era tão macia! Sua mão, enquanto pressionava a parte de baixo de suas costas, era tão gentil! Ela aproximou-se mais dele, mas quando começou a levantar os braços para abraçar seu pescoço, as algemas a impediram.

— Não — disse ela de modo firme, lembrando-se. — Não vai sair dessa. — Ryan afastou-se, pronta para enfurecer-se com ele. Ele sorriu para ela. — Droga, Pierce — disse ela, dando um suspiro. — Beije-me de novo.

Ele a beijou suavemente.

— Fica muito excitante quando está com raiva, srta. Swan — sussurrou ele.

— Eu *estava* com raiva — murmurou ela, retribuindo o beijo. — *Estou* com raiva.

— É excitante.

Ele puxou-a para o carro.

— Então? — Mantendo seus pulsos unidos no alto, ela lançou-lhe um olhar de indagação. Pierce abriu a porta do carro e fez um gesto para que ela entrasse. — Pierce! — Exasperada, Ryan sacudiu o braço. — Tire isso. Não pode dirigir assim.

— Claro que posso. Você terá que subir — disse ele, conduzindo-a para o carro.

Ryan sentou no lugar do motorista por um momento e olhou furiosa para ele.

— Isso é absurdo.

— É — concordou ele. — E estou gostando. Chegue para lá.

Ryan pensou em recusar, mas decidiu que ele simplesmente a tomaria nos braços e a colocaria no assento do passageiro. Com alguma dificuldade e nenhuma delicadeza, ela conseguiu. Pierce deu outro sorriso ao ligar o carro.

— Ponha sua mão no câmbio de marcha e nos sairemos muito bem.

Ryan obedeceu. A palma da mão dele repousava sobre o dorso da mão dela quando engatou a ré.

— Quanto tempo vai deixar as algemas aí?

— Pergunta interessante. Não decidi.

Ele saiu do estacionamento e foi na direção norte. Ryan balançou a cabeça e riu, apesar de não achar graça.

— Se tivesse me dito que estava com tanta fome assim, eu teria vindo pacificamente.

— Não estou com fome — disse ele calmamente. — Pensei que poderíamos parar e comer no caminho.

— No caminho? — repetiu Ryan. — No caminho para onde?

— Para casa.

— Casa? — Olhou pela janela e percebeu que ele estava saindo de Los Angeles na direção oposta ao apartamento dela. — *Sua* casa? — perguntou ela, incrédula. — Pierce, é a duzentos e quarenta quilômetros daqui.

— Mais ou menos — concordou ele. — Não precisam de você em Los Angeles até segunda-feira.

— Segunda-feira! Quer dizer que vamos passar o fim de semana lá? Mas não posso. — Ela não tinha pensado que poderia ficar mais exasperada do que estava. — Não posso simplesmente entrar no seu carro e passar um fim de semana fora.

— Por que não?

— Bem, eu... — Ele fez tudo parecer tão razoável que ela teve que procurar as falhas. — Porque não posso. Para começar, não tenho roupas, e...

— Não precisará delas.

Isso a fez se calar. Ryan fitou-o enquanto uma estranha mistura de excitação e pânico percorreu seu corpo.

— Acho que está me raptando.

— Exatamente.

— Ah!

— Alguma objeção? — perguntou ele, dando um breve olhar para ela.

— Responderei na segunda-feira — disse ela e acomodou-se novamente no assento, disposta a aproveitar o sequestro.

Capítulo 13

Ryan acordou na cama de Pierce. Ela abriu os olhos para a luz do sol. Mal tinha amanhecido quando Pierce a acordou para murmurar que ia descer para trabalhar. Ryan pegou o travesseiro dele, puxou-o para perto e ficou mais alguns minutos na cama.

Que homem surpreendente ele era, refletiu ela. Nunca teria pensado que Pierce faria algo tão incomum como algemá-la a ele e arrastá-la para um fim de semana apenas com as roupas do corpo. Ela deveria ter ficado com raiva, indignada.

Ryan enterrou o rosto no travesseiro. Como poderia? Era possível estar com raiva de um homem por lhe mostrar — com um olhar, com um toque — que você era querida e desejada? Poderia ficar indignada quando um homem a queria o suficiente para raptá-la a fim de fazer amor como se você fosse a criatura mais preciosa da Terra?

Ryan deu uma grande espreguiçada e pegou o relógio da mesa de cabeceira. Nove e meia!, constatou, fazendo um movimento brusco. Como podia ser tão tarde? Parecia que Pierce a tinha deixado havia apenas alguns instantes. Pulou da cama e correu para o banheiro. Eles só tinham dois dias juntos; ela não ia desperdiçá-los dormindo.

Quando voltou ao quarto com uma toalha enrolada no corpo, Ryan examinou as roupas com um ar de dúvida. Era incrível ser sequestrada por um mágico atraente, ela admitiu, mas realmente foi muito ruim ele não ter permitido que ela trouxesse alguma coisa. Enquanto pensava, começou a vestir o *tailleur* que tinha usado no dia anterior. Decidiu que simplesmente teria que encontrar outra coisa para vestir, mas, por enquanto, se arranjaria.

Um pouco consternada, Ryan percebeu que não estava nem mesmo com a bolsa. Ainda estava na gaveta de baixo da sua mesa. Ela franziu o nariz diante da imagem no espelho. Seu cabelo estava desarrumado; o rosto, sem maquiagem. Nem mesmo um pente ou um batom, ela pensou, e suspirou. Pierce ia ter que fazer aparecer alguma coisa. Com isso em mente ela desceu para procurá-lo.

Quando chegou ao pé da escada, viu que Link estava se aprontando para sair.

— Bom dia.

Ryan hesitou, sem ter certeza do que dizer para ele. Ela não o tinha visto quando chegaram na noite anterior.

— Olá. — Ele sorriu para ela. — Pierce disse que estava aqui.

— Sim, eu... Ele me convidou para passar o fim de semana.

Pareceu a maneira mais simples de explicar.

— Fico feliz por ter vindo. Ele sentiu sua falta.

Os olhos dela se iluminaram ao ouvir as palavras.

— Senti saudades dele também. Ele está aqui?

— Na biblioteca. Está ao telefone.

Ele hesitou, e Ryan viu o leve rubor no seu rosto. Sorrindo, ela desceu o último degrau.

— O que é, Link?

— Eu... hum... Eu terminei de escrever aquela canção de que você gostou.

— Maravilhoso. Adoraria ouvi-la.

— Está no piano. — Extremamente sem graça, ele olhou para os pés. — Pode tocá-la mais tarde, se quiser.

— Não vai estar aqui? — Ela quis pegar sua mão como faria com um menininho, mas sentiu que apenas o deixaria mais constrangido. — Nunca o ouvi tocar.

— Não, eu... — Seu rubor aumentou e ele lhe deu uma rápida olhada. — Eu e Bess... bem, ela queria ir para São Francisco. — Ele limpou a garganta. — Gosta de andar de bonde.

— Que ótimo, Link. — Por impulso, Ryan decidiu ver se poderia dar uma ajuda a Bess. — Ela é uma mulher muito especial, não é?

— Ah, claro. Não existe ninguém como Bess — concordou ele prontamente, e olhou para os pés de novo.

— Ela sente a mesma coisa a seu respeito.

Os olhos dele dispararam em direção ao rosto dela e depois passaram por cima de seu ombro.

— Acha que sim?

— Ah, sim. — Embora quisesse muito sorrir, Ryan manteve a voz séria. — Ela me contou como o conheceu. Achei incrivelmente romântico.

Link deu uma risadinha nervosa.

— Ela é muito bonita. Muitos caras dão em cima dela quando viajamos.

— Imagino que sim — concordou Ryan, e deu-lhe um tapinha na cabeça. — Mas acho que ela tem uma queda por músicos. Pianistas — acrescentou, quando ele olhou para ela. — Do tipo que sabe compor belas canções românticas. O tempo está passando, não acha?

Link estava olhando para ela como se estivesse tentando pensar no que dizer.

— Ahn? Ah, sim. — Ele franziu a testa e balançou a cabeça afirmativamente. — É, imagino que sim. Tenho que ir pegá-la agora.

— Acho que é uma boa ideia. — Ela pegou sua mão, dando-lhe um pequeno aperto. — Divirtam-se.

— Tudo bem. — Ele sorriu e virou para a porta. Com a mão na maçaneta, parou para olhar por cima do ombro. — Ryan, ela gosta mesmo de pianistas?

— Sim, Link, ela gosta mesmo.

Ele sorriu novamente e abriu a porta.

— Tchau.

— Tchau, Link. Dê minhas lembranças a Bess.

Quando a porta se fechou, Ryan permaneceu onde estava por um momento. *Que homem encantador*, ela pensou, e cruzou os dedos por Bess. Eles seriam muito felizes juntos se conseguissem superar a timidez dele. Ryan deu um sorriso de satisfação, ela, certamente, tinha feito tudo que podia na sua primeira tentativa de agir como cupido. O resto era com os dois.

Ela virou o corredor e foi para a biblioteca. A porta estava aberta, e Ryan podia ouvir a voz baixa de Pierce. Até mesmo este som mexia com ela. Ele estava aqui com ela, e estavam sozinhos. Quando parou na porta, os olhos de Pierce se encontraram com os dela.

Pierce sorriu e continuou a conversa ao telefone, fazendo um gesto para que ela entrasse.

— Vou lhe enviar as especificações exatas por escrito — disse ele, observando Ryan entrar e caminhar até uma estante. Por que vê-la num daqueles *tailleurs* nunca deixava de excitá-lo? — Não, precisarei que esteja pronto em três semanas — continuou ele, os olhos fixos nas costas de Ryan. — Preciso de tempo para trabalhar nisso antes de ter certeza de que posso usá-lo.

Ryan se virou e, então, empoleirada no braço da cadeira, o observou. Ele estava usando jeans e um moletom de manga curta, e seu cabelo estava desgrenhado, como se tivesse passado as mãos por ele. Ela pensou que ele nunca estivera mais atraente e afundou numa cadeira estofada, mais relaxada do que de costume. A energia ainda estava lá, a energia ativa que parecia emanar de Pierce no palco e fora dele. Mas era latente, ela refletiu. Ele ficava mais à vontade nesta casa do que em qualquer outro lugar.

Ele continuou a dar instruções com quem conversava, mas Ryan viu seus olhos a examinarem brevemente. Algo malicioso percorreu seu corpo. Talvez ela pudesse desfazer aquela calma dele.

Levantou-se preguiçosamente e começou a vagar pelo cômodo outra vez, tirando os sapatos ao caminhar. Pegou um livro da prateleira, examinou-o superficialmente e colocou-o de volta.

— Precisarei que a lista completa seja entregue aqui — declarou Pierce, e observou Ryan retirar o casaco. Ela o pendurou no encosto de uma cadeira. — Sim, é exatamente o que desejo. Se você... — Ele parou quando ela começou a desabotoar a blusa. Ela levantou os olhos quando ele parou de falar e sorriu. — Se entrar em contato comigo quando tiver... — A blusa escorregou até o chão antes de ela abrir o zíper da saia de forma casual. — Quando tiver... — prosseguiu Pierce, lutando para se lembrar do que estava dizendo — os... ah... todos os itens, providenciarei o frete.

Curvando-se após retirar a saia, Ryan começou a tirar as meias.

— Não, isso não... não será necessário. — Ela jogou o cabelo para trás dos ombros e deu outro sorriso para Pierce. O olhar durou vários segundos mágicos. — Sim — Pierce murmurou ao telefone. — Sim, está bem.

Jogando as meias sobre a saia que já havia sido tirada, ela endireitou o corpo. Seu sutiã fechava na frente. Com o dedo, Ryan deu um puxão no pequeno laço entre os seios até afrouxá-lo. Ela continuava olhando nos olhos dele, sorrindo de novo quando os viu se abaixarem até onde seus dedos mexiam lentamente nos laços.

— O quê? — Pierce balançou a cabeça. A voz do homem tinha sido apenas um zumbido ininteligível no ouvido dele. — O quê? — disse ele novamente, quando a seda se abriu. Muito devagar, Ryan a retirou. — Ligarei de volta.

Pierce colocou o fone de volta no gancho.

— Tudo terminado? —perguntou ela, enquanto caminhava até ele. — Queria falar com você sobre as minhas roupas.

— Gosto do que está usando.

Ele puxou-a para a cadeira onde estava e tomou sua boca. Saboreando o desejo selvagem, ela soltou o corpo.

— Era uma ligação importante? — perguntou ela quando os lábios dele deslocaram-se para seu pescoço. — Não quis perturbá-lo.

— Pro inferno que não quis. — Ele pegou seu seio, gemendo ao tomar posse. — Meu Deus, você me enlouquece! Ryan... — A voz dele estava áspera de urgência quando ele a colocou no chão. — Agora.

— Sim — murmurou ela quando ele a penetrou.

Ele tremia quando se deitou por cima dela. Sua respiração estava irregular. *Ninguém*, pensou ele, *ninguém tinha conseguido abalar meu controle desse jeito*. Era aterrorizante. Parte dele queria se levantar e ir embora — provar que ainda podia ir embora. Mas ele ficou onde estava.

— Perigosa — murmurou na orelha de Ryan pouco antes de a ponta de sua língua contorná-la. Ele ouviu o suspiro dela. — Você é uma mulher muito perigosa.

— Humm. Como assim?

— Conhece minhas fraquezas, Ryan Swan. Talvez você seja minha fraqueza.

— Isso é ruim? — murmurou ela.

— Não sei. — Ele levantou a cabeça e a fitou. — Não sei.

Ryan levantou uma das mãos para retirar suavemente o cabelo da testa.

— Não importa. Hoje, só nós dois existimos.

O olhar que ele lançou foi longo e profundo, tão intenso quanto da primeira vez que haviam se encontrado.

— Quanto mais tempo fico com você, cada vez mais só nós dois existimos.

Ela sorriu e puxou-o novamente para embalá-lo em seus braços.

— Na primeira vez que você me beijou, o mundo inteiro se desfez. Tentei dizer a mim mesma que você havia me hipnotizado.

Pierce riu e levantou o braço para acariciar seu seio. O mamilo ainda estava rígido, e ela tremeu com o toque.

— Tem alguma ideia do quanto queria levá-la para a cama naquela noite? — Ele passou o dedo lentamente de um lado para o outro sobre a ponta do seio, ouvindo sua respiração aumentar enquanto ele falava. — Não consegui trabalhar, não consegui dormir. Fiquei deitado pensando em você vestida de seda e renda.

— Eu queria você — disse Ryan com a voz rouca quando a paixão reacendeu. — Fiquei chocada porque o tinha conhecido havia algumas horas e o queria.

— Teria feito amor com você assim naquela noite.

Pierce roçou a boca na dela. Ele a beijou, usando os lábios só até os dela ficarem quentes, macios e ávidos. As mãos dele estavam no cabelo dela agora, retirando-os do rosto enquanto sua língua explorava sua boca gentilmente.

Parecia que ele a beijaria eternamente. Houve sons macios e murmurantes quando seus lábios se separaram e se encontraram novamente, e depois mais uma vez. Quente, estonteante, insuportavelmente doce. Ele afagou seus ombros, permanecendo ali enquanto o beijo prosseguia. Ela sabia que o mundo girava em torno dos lábios dele.

Não importava onde mais ele a tocava, sua boca permanecia sobre a dela. Ele podia passar a mão onde decidisse, mas apenas seu beijo a mantinha prisioneira. Parecia desejar seu sabor mais que desejava o ar. Ela agarrou os ombros dele, cravando as unhas em sua carne, sem qualquer consciência disso. Seu único desejo era que o beijo continuasse para sempre.

Ele sabia que o corpo dela era totalmente seu e tocava onde provocava o máximo de prazer. Com o menor estímulo, ela se abriu para ele. Ele subiu e desceu com a ponta do dedo pela sua coxa, deleitando-se na sua textura sedosa e na sua reação. Passou sobre seu centro apenas de leve, no caminho para a outra coxa, brincando todo o tempo com os lábios dela.

Ele usou os dentes e a língua, depois, apenas os lábios. O murmurar delirante do seu nome fez novas emoções dispararem pelo corpo dele. Havia o sutil movimento do seu quadril para ser seguido, a curva da sua cintura. Os braços dela eram acetinados. Ele podia encontrar prazer infinito apenas ao tocá-los. Ela era dele — pensou mais uma vez, e teve que controlar um ímpeto explosivo de tomá-la rapidamente. Em vez disso, deixou que o beijo falasse em seu lugar. Ele falou de desejos obscuros e poderosos, de ternura infinita.

Mesmo ao penetrá-la, Pierce continuou a saborear sua boca. Ele atraiu-a devagar, esperando que seu desejo aumentasse, contendo sua paixão até que não fosse mais possível negá-la.

A boca dele ainda estava comprimida na dela quando ela gritou com a explosão final de prazer.

Ninguém, a não ser ela, pensou ele perplexo, enquanto inalava o aroma do seu cabelo. *Apenas ela.* Os braços de Ryan envolveram o corpo dele a fim de mantê-lo próximo. Ele sabia que estava preso.

Horas mais tarde, Ryan colocou dois bifes na grelha. Usava agora um jeans de Pierce preso na cintura com um cinto e com as pernas enroladas várias vezes devido à diferença de altura. A camisa de moletom fazia dobras sobre seu quadril. Ryan arregaçou as mangas acima dos cotovelos enquanto o ajudava a preparar o jantar.

— Cozinha tão bem quanto Link? — perguntou ela, virando-se para observá-lo adicionar croutons à salada que estava preparando.

— Não. Quando se é sequestrado, srta. Swan, não se pode esperar pratos finos.

Ryan parou a seu lado e abraçou sua cintura.

— Vai exigir resgate?

Ela deu um suspiro e apoiou o rosto em suas costas. Nunca tinha estado tão feliz na vida.

— Talvez. Quando tiver terminado com você.

Ela o beliscou firme, mas ele nem mesmo se mexeu.

— Safado — disse ela afetuosamente, e colocou as mãos sob a sua camisa para tocar seu peito. Dessa vez ela o viu tremer.

— Está me distraindo, Ryan.

— Era minha intenção. Saiba que é a coisa mais fácil de fazer.

— Você tem tido uma série notável de êxitos — comentou ele, enquanto ela passava as mãos em seus ombros.

— Você realmente consegue deslocar os ombros para se livrar de uma camisa de força? — perguntou ela em voz alta quando sentiu a intensidade da solidez deles.

Divertindo-se, ele continuou a cortar o queijo em cubos para a salada.

— Onde ouviu isso?

— Ah, em algum lugar — disse ela de forma vaga, sem admitir que tinha devorado todos os artigos que conseguira encontrar sobre ele. — Também ouvi dizer que tem controle total sobre os músculos.

Eles se enrijeceram sob seus dedos curiosos. Ela comprimiu-se contra as suas costas, apreciando o leve odor de mato que havia nele.

— Também ouviu dizer que só como certas ervas e raízes que colho na lua cheia? — Ele colocou um pedaço de queijo na boca antes de se virar para abraçá-la. — Ou que estudei artes mágicas no Tibete quando tinha 12 anos?

— Li que teve aulas com o fantasma de Houdini — respondeu ela.

— É mesmo? Devo ter deixado essa escapar. Muito lisonjeiro.

— Realmente aprecia as coisas ridículas que publicam a seu respeito, não é?

— Claro. — Ele beijou seu nariz. — Teria um senso de humor lamentável se não apreciasse.

— E, é claro — acrescentou ela —, se a realidade e a fantasia estão tão misturadas, ninguém jamais sabe qual é qual e quem você é.

— Tem isso também. — Ele enroscou uma mecha do cabelo dela no dedo. — Quanto mais publicam sobre mim, mais privacidade eu tenho.

— E sua privacidade é importante para você.

— Quando se cresce como eu cresci, você aprende a valorizá-la.

Comprimindo o rosto no peito dele, Ryan agarrou-se a ele. Pierce colocou a mão sob o queixo dela e o levantou. Seus olhos já cintilavam de lágrimas.

— Ryan — disse ele com cuidado —, não precisa sentir pena de mim.

— Não. — Ela balançou a cabeça, compreendendo sua relutância em aceitar a compaixão. Tinha sido a mesma coisa com Bess. — Sei disso, mas é difícil não sentir pena de um garotinho.

Ele sorriu, passando o dedo nos lábios dela.

— Ele era muito adaptável. — Ele a afastou. — É melhor virar aqueles bifes.

Ryan ocupou-se dos bifes, sabendo que ele queria que mudasse de assunto. Como podia explicar que estava ávida por qualquer detalhe da sua vida, qualquer coisa que o aproximasse dela? E talvez estivesse errada, pensou, de tocar no passado quando tinha medo de tocar no futuro.

— Como prefere os bifes? — perguntou ao se curvar para a grelha.

— Humm, entre malpassado e ao ponto. — Ele estava mais interessado na visão que ela proporcionou quando se inclinou. — Link faz seu próprio molho para a salada. É muito bom.

— Onde ele aprendeu a cozinhar? — perguntou ela quando virou o segundo bife.

— Foi uma questão de necessidade — disse Pierce. — Ele gosta de comer. As coisas eram escassas quando começamos a viajar. O resultado foi que ele ganhou muito mais habilidade com uma lata de sopa do que eu ou Bess.

Ryan se virou e deu-lhe um sorriso.
— Eles vão para São Francisco hoje.
— É. — Ele levantou uma das sobrancelhas. — E daí?
— Ele é tão louco por ela quanto ela é por ele.
— Sei disso também.
— Você poderia ter feito algo para movimentar as coisas após todos esses anos — declarou ela, fazendo um gesto com o garfo. — Afinal de contas, são seus amigos.
— É exatamente por isso que não interfiro — disse ele em tom suave. — O que você fez?
— Bem, não interferi — disse ela. — Simplesmente lhe dei um leve empurrão. Mencionei que Bess tem preferência por pianistas.
— Entendo.
— Ele é tão tímido — disse ela em tom exasperado. — Estará pronto para se aposentar antes de tomar a coragem para... para...
— Para quê?
— Para qualquer coisa — declarou Ryan. — E pare de me olhar com esse olhar malicioso.
— Eu?
— Sabe muito bem que sim. Seja como for...
Ela ofegou e fez barulho ao largar o garfo quando alguma coisa roçou nos seus tornozelos.
— É apenas Circe — disse Pierce, e sorriu quando Ryan suspirou. — Ela sente o cheiro da carne. — Ele pegou o garfo para lavar enquanto a gata esfregou-se nas pernas de Ryan e ronronou de forma carinhosa. — Ela se esforçará ao máximo para convencê-la de que merece um pouco.
— Seus animais de estimação têm o hábito de me pegar desprevenida.
— Sinto muito.
Mas ele sorriu, parecendo não sentir nada. Ryan pôs as mãos no quadril.
— Gosta de me ver nervosa, não é?
— Gosto de vê-la — respondeu ele simplesmente. Riu e tomou-a nos braços. — Embora tenha de admitir que há algo atraente em

vê-la usar minhas roupas enquanto passeia pela cozinha de pés descalços.

— Ah — disse ela com conhecimento de causa. — A síndrome do homem das cavernas.

— Ah, não, srta. Swan. — Ele cheirou seu pescoço. — Sou seu escravo.

— É mesmo? — Ryan refletiu sobre as possibilidades interessantes da declaração. — Então coloque a mesa — ela lhe disse. — Estou morrendo de fome.

Eles comeram à luz de velas. Ryan não deu uma única garfada na comida. Ela fartou-se de Pierce. Havia vinho — algo suave e delicado, mas, quanto a isso, poderia ter sido água. Usando moletom e jeans largos, ela nunca se sentira mais mulher. Os olhos dele lhe diziam constantemente que ela era bonita, interessante, desejável. Parecia que nunca tinham sido amantes, nem íntimos. Ele a estava cortejando.

Ele a fazia se sentir bonita com um olhar, com uma palavra suave ou tocando sua mão. Nunca deixava de agradá-la, até mesmo de arrebatá-la, ele possuía tanto romantismo dentro de si. Pierce devia saber que ela estaria com ele em quaisquer circunstâncias, mas, mesmo assim, ele a cortejava. Flores, luz de velas e as palavras de um homem enamorado. Ryan se apaixonou de novo.

Muito depois dos dois terem perdido interesse pela comida, permaneceram ali. O vinho esquentou, as velas perderam a intensidade. Ele se contentava em vê-la na luz bruxuleante, deixando que sua voz suave fluísse até ele. Quaisquer desejos que se acumulassem dentro dele poderiam ser mitigados simplesmente correndo os dedos sobre o dorso da mão dela. Queria apenas estar com ela.

A paixão viria depois, ele sabia. À noite, no escuro, quando ela estivesse deitada a seu lado. Mas, por enquanto, bastava vê-la sorrir.

— Quer esperar por mim na sala de estar? — murmurou ele, e beijou seus dedos, um de cada vez. Um prazer eletrizante disparou pelo seu braço.

— Vou ajudar com os pratos.

Mas os pensamentos dela estavam longe, distantes das questões práticas.

— Não, eu cuido disso. — Pierce virou a mão dela e comprimiu seus lábios na sua palma. — Espere por mim.

Os joelhos dela tremiam, mas ela se levantou quando ele colocou-a de pé. Ela não conseguia tirar os olhos dele.

— Não vai demorar muito?

— Não. — Ele deslizou as mãos pelos seus braços. — Não vou demorar, querida.

Suavemente, ele a beijou. Ryan caminhou aturdida até a sala de estar. Não tinha sido o beijo, mas a palavra de afeição que havia feito seu coração bater forte. Parecia impossível, depois do que tinham sido um para o outro, que uma simples palavra acelerasse sua pulsação. Mas Pierce era cauteloso com as palavras.

E era uma noite de encantamento, ela pensou ao entrar na sala de estar. Uma noite feita para o amor e para o romance. Ela caminhou até a janela para olhar para o céu. Até a lua estava cheia, como se soubesse que tinha de estar. Estava tão tranquilo que conseguia ouvir o som das ondas contra o rochedo.

Estavam numa ilha, Ryan imaginou. Era uma ilha pequena e desprotegida, com um mar escuro. E as noites eram longas. Não havia telefone nem eletricidade. Por impulso, ela se virou da janela e começou a acender as velas que estavam espalhadas pela sala. A lareira estava preparada, e ela riscou um fósforo sobre os gravetos. A madeira seca estalou ao se inflamar.

Levantou-se e olhou em volta da sala. A luz estava exatamente como ela queria — uma penumbra, com sombras mudando de lugar. Adicionava apenas um toque de mistério e parecia refletir seus próprios sentimentos em relação a Pierce.

Ryan olhou para si rapidamente e bateu de leve no moletom. Se pelo menos tivesse algo encantador para usar. Mas talvez a imaginação de Pierce estivesse tão ativa quanto a dela.

Música, ela pensou de repente, e olhou em volta. Ele, certamente, tinha um aparelho de som, mas não sabia onde procurar. Inspirada, foi até o piano.

As partituras de Link estavam esperando. Entre o brilho do fogo atrás dela e as velas sobre o piano, Ryan podia ver as notas com nitidez suficiente. Sentou-se e começou a tocar. Levou apenas alguns momentos para que se envolvesse na melodia.

Pierce parou no vão da porta e a observou. Embora seus olhos estivessem fixos no papel à sua frente, pareciam estar sonhando. Ele nunca a vira assim — tão envolta em seus próprios pensamentos. Sem querer interromper seu estado de espírito, ele permaneceu onde estava. Poderia tê-la observado para sempre.

À luz de velas seu cabelo era apenas uma névoa caindo sobre os ombros. Sua pele era clara. Apenas seus olhos estavam escuros, comovidos com a música que executava. Ele captou o leve cheiro de fumaça da madeira e da cera derretendo. Era um momento do qual ele sabia que se lembraria para o resto da vida. Anos e anos poderiam passar, e ele conseguiria fechar os olhos e vê-la assim; ouvir a música sendo tocada, sentir as velas queimando.

— Ryan.

Não tinha sido sua intenção falar alto. Na verdade, ele apenas sussurrara seu nome, mas os olhos dela se levantaram na sua direção. Ela sorriu, mas a luz bruxuleante captou as cintilantes lágrimas.

— É tão bonita!

— É. — Pierce mal tinha confiança suficiente para falar. Uma palavra, um movimento em falso poderia estragar o momento. O que ele viu, o que sentiu, poderia ser apenas uma ilusão. — Por favor, toque de novo.

Mesmo após ela ter recomeçado, ele não se aproximou mais. Queria que a imagem permanecesse exatamente como estava. Os lábios dela estavam ligeiramente entreabertos. Ele podia saboreá-los de onde estava. Sabia qual seria a sensação do seu rosto se ele o tocasse agora. Ela olharia para ele e sorriria com aquele calor especial nos olhos. Mas ele não a tocaria, apenas absorveria tudo que ela era nesse momento especial.

As chamas das velas queimaram sem interrupção. Uma lenha mudou de posição na lareira sem fazer barulho. E então ela terminou.

Os olhos dela levantaram-se na sua direção. Pierce foi até ela.

— Nunca a desejei tanto — disse ele com a voz baixa, quase sussurrada. — Nem tive tanto medo de tocá-la.

— Medo? — Os dedos dela permaneciam ligeiramente sobre as teclas. — Por quê?

— Se eu a tocasse, minha mão poderia passar através do seu corpo. Afinal de contas, você poderia ser apenas um sonho.

Ryan pegou sua mão e comprimiu-a contra o rosto.

— Não é sonho — murmurou ela. — Não para nós.

A pele dela estava quente e era real sob os dedos dele. Ele foi atingido por uma incrível onda de ternura. Levantou a outra mão, segurando-a como se fosse de porcelana.

— Se pudesse fazer um pedido, Ryan, apenas um, qual seria?

— Que esta noite, apenas esta noite, você não pensasse em nada nem ninguém que não fosse eu.

Os olhos dela brilhavam na pouca luz. Pierce colocou-a de pé e envolveu seu rosto com a mão.

— Você desperdiça seus desejos, Ryan, pedindo algo que já existe.

Ele beijou suas têmporas, depois os dois lados do rosto, deixando sua boca tremendo pelo sabor da dele.

— Quero preencher sua mente — disse ela com a voz vacilante — para que não haja espaço para nada mais. Esta noite quero que exista apenas eu. E amanhã...

— Shh. — Ele beijou sua boca para silenciá-la, mas tão de leve que ela ficou apenas com uma promessa do que estava por vir. — Não existe ninguém a não ser você, Ryan. — Os olhos dela estavam fechados, e ele roçou os lábios delicadamente sobre as pálpebras. — Venha para a cama — murmurou ele. — Deixe-me provar.

Tomou sua mão, atravessou a sala e apagou as velas. Pegou uma, deixando que sua luz trêmula lhes iluminasse o caminho.

Capítulo 14

Eles tiveram que se separar novamente. Ryan sabia que isso era necessário durante a preparação do especial. Quando se sentia só, devido à ausência dele, só precisava se lembrar da última noite mágica que tinham passado juntos. Seria o suficiente para confortá--la até poder vê-lo novamente.

Embora ela o tivesse visto esporadicamente durante as semanas seguintes, tinha sido apenas profissionalmente. Ele a procurava para reuniões e para supervisionar certos pontos do seu próprio negócio. Guardava os segredos para si. Ryan ainda não sabia nada sobre os apetrechos e truques que ele usaria. Pierce lhe dera uma lista detalhada das ilusões que executaria, a sequência e apenas a mais simples explicação de seu mecanismo.

Ryan achava isso frustrante, mas não tinha muito o que reclamar. O set estava sendo criado de acordo com o que ela, Bloomfield e Pierce tinham finalmente concordado. Elaine fora contratada como convidada. Ryan havia conseguido se sair bem na série de reuniões duras e cheias de emoção. E, ela se lembrou, achando graça, Pierce também.

Ele podia dizer mais com seus longos silêncios e uma ou duas palavras calmas do que uma dúzia de chefes de departamento frenéticos discutindo. Suportou as exigências e reclamações com total amabilidade e sempre saiu por cima.

Recusou-se a usar um roteiro profissional para o especial. Era simples assim. Ele disse não. E se ateve a isso — porque sabia que estava certo. Tinha sua própria música, seu próprio diretor, sua própria equipe cênica. Nada o demoveria de usar seu próprio pessoal nos postos estratégicos. Rejeitou seis esboços de figurino com um negligente meneio de cabeça.

Pierce fazia as coisas a seu modo, e se comprometia apenas quando era conveniente. Mas Ryan viu que o pessoal da criação, por mais temperamental que fosse, reclamava pouco dele. Ele os encantava, ela notou. Tinha habilidade com as pessoas. Ele as aquecia ou as congelava — bastava um olhar.

Bess tinha que dar sua palavra final sobre o próprio figurino. Pierce simplesmente disse que ela sabia o que melhor lhe convinha. Ele se recusava a ensaiar a menos que o set estivesse fechado. Então, entreteve os ajudantes com ilusionismo e truques de cartas. Sabia como manter o controle sem precisar ser rígido.

Ryan, porém, achava difícil trabalhar com as restrições que ele impunha a ela e aos seus funcionários. Ela tentou discutir, argumentar, implorar. Não chegou a lugar algum.

— Pierce. — Ryan o encurralou no set durante um intervalo nos ensaios. — Preciso falar com você.

— Hum? — Ele observou sua equipe armar as tochas para o próximo segmento. — Exatamente vinte centímetros de distância — disse-lhes.

— Pierce, isso é importante.

— Sim, estou ouvindo.

— Não pode proibir a entrada de Ned no set durante o ensaio — disse ela, e puxou seu braço para ter atenção total.

— Posso, sim. E proibi. Ele não contou a você?

— Sim, ele me contou. — Ela soltou um suspiro de exasperação. — Pierce, como coordenador de produção, ele tem direito de estar aqui.

— Ele atrapalha. Não se esqueça de deixar trinta centímetros entre as fileiras, por favor.

— Pierce!

— O que é? — disse ele de modo agradável, e virou-se novamente para ela. — Já disse que está linda hoje, srta. Swan? — Ele passou a lapela do blazer entre o polegar e o indicador. — É um conjunto muito bonito.

— Preste atenção, Pierce: você tem que dar um pouco mais de espaço ao meu pessoal. — Ela tentou ignorar o sorriso nos olhos dele e continuou: — Sua equipe é muito eficiente, mas numa produção desse tamanho precisamos de mais gente. Seu pessoal conhece o seu trabalho, mas não sabe nada de televisão.

— Seu pessoal não pode mexer nos meus apetrechos, Ryan. Nem ficar andando por aí enquanto estou armando tudo.

— Meu Deus, você quer que eles façam um juramento de sangue de não revelar seus segredos? — perguntou ela, agitando a prancheta. — Poderíamos marcar para a próxima lua cheia.

— Boa ideia, mas não sei quantos dos seus funcionários concordariam. Pelo menos, não o seu coordenador de produção — acrescentou ele com um sorriso. — Acho que ele não gostaria de ver seu próprio sangue.

Ryan levantou uma das sobrancelhas.

— Está com ciúme?

Ele riu com uma satisfação tão grande que ela quis bater nele.

— Não seja ridícula. Ele não representa ameaça nenhuma.

— Não é essa a questão — murmurou ela, amuada. — Ele é muito bom no seu trabalho, mas não pode fazê-lo se você se recusar a ser razoável.

— Ryan — disse ele, parecendo realmente surpreso —, sou sempre razoável. O que gostaria que eu fizesse?

— Gostaria que deixasse Ned fazer o que ele tem de fazer. E gostaria que deixasse meu pessoal entrar no estúdio.

— Certamente — concordou ele. — Mas não quando eu estiver ensaiando.

— Pierce — disse ela em tom de perigo. — Você está me deixando de mãos atadas. Tem de fazer algumas concessões para a televisão.

— Estou ciente disso, Ryan, e farei. — Ele beijou sua testa. — Quando eu estiver pronto. — continuou ele antes que ela pudesse falar novamente. — Você tem que me deixar trabalhar com a minha própria equipe até eu ter certeza que está perfeito.

— E quanto tempo vai levar?

Ela sabia que ele a estava persuadindo como tinha feito com todo mundo, de Coogar para baixo.

— Mais alguns dias. — Ele pegou sua mão livre. — De qualquer forma, seus principais empregados estão aqui.

— Tudo bem — disse ela, dando um suspiro. — Mas até o fim da semana a equipe de iluminação terá que participar dos ensaios. Isso é essencial.

— Fechado. — Ele apertou a mão dela de modo solene. — Mais alguma coisa?

— Sim. — Ryan endireitou os ombros e lhe lançou um olhar direto. — A duração do primeiro segmento está ultrapassando dez segundos. Vai ter que alterá-lo para se encaixar com o intervalo.

— Não, você terá que alterar o intervalo.

Ele lhe deu um leve beijo antes de se afastar. Antes que pudesse gritar com ele, Ryan descobriu que havia um botão de rosa na sua lapela. O prazer se misturou com a fúria até que era tarde demais para agir.

— Ele é o máximo, não é?

Ryan virou a cabeça e viu Elaine Fisher.

— O máximo — concordou ela. — Espero que esteja satisfeita com tudo, srta. Fisher — acrescentou, e sorriu para a pequena loira que parecia uma bonequinha. — Seu camarim é agradável?

— É bom. — Elaine exibiu um sorriso encantador. — Só tem uma lâmpada queimada no meu espelho.

— Vou mandar verificar.

Elaine observou Pierce e deu sua risada rápida e esfuziante.

— Tenho que lhe dizer que não me importaria em encontrá-lo no meu camarim.

— Acho que não posso providenciar isso, srta. Fisher — respondeu Ryan de modo formal.

— Ah, querida, eu mesma poderia se não fosse pela maneira que ele olha para você. — Ela piscou de forma amistosa para Ryan. — É claro que se não estiver interessada eu poderia tentar consolá-lo.

Não era fácil de resistir ao charme da atriz.

— Não será necessário — Ryan lhe disse com um sorriso. — É função da produtora manter o artista feliz.

— Por que não vê se consegue arrumar um clone para mim? — Ela deixou Ryan e caminhou até Pierce. — Pronto?

Observando-os trabalhar juntos, Ryan viu que seus instintos estavam certos. Formavam uma dupla perfeita. A beleza loira e frívola de Elaine e seu charme ingênuo escondiam um talento aguçado e um dom para a comédia. Era o equilíbrio exato que Ryan desejara.

Ela esperou, prendendo a respiração enquanto as tochas eram acesas. Foi a primeira vez que viu o número do começo ao fim. As chamas ficaram altas por um momento, emitindo uma luz quase ofuscante até Pierce espalhar as mãos e acalmá-las. Então, ele se virou para Elaine.

— Não queime o meu vestido — zombou ela. — É alugado.

Ryan escreveu apressadamente uma mensagem para guardar como improviso quando Elaine começou a levitar. Em instantes, ela estava flutuando acima das chamas.

— Está indo bem.

Ryan olhou para cima e sorriu para Bess.

— Sim, apesar de todos os problemas que causa, Pierce torna impossível ser de outra maneira. Ele é incansável.

— Eu que o diga. — Elas o observaram em silêncio por um momento e então Bess apertou o braço de Ryan. — Não estou aguentando, preciso lhe contar. — Sussurrou ela para não atrapalhar o ensaio.

— Contar o quê?

— Queria contar primeiro a Pierce, mas... — Ela deu um sorriso de orelha a orelha. — Eu e Link...

— Ah, parabéns! — interrompeu Ryan e a abraçou. Bess riu.

— Você não me deixou terminar.

— Você ia me dizer que vão se casar.

— Bem, sim, mas...

— Parabéns — disse Ryan de novo. — Quando aconteceu?

— Praticamente agora. — Parecendo um pouco aturdida, Bess coçou a cabeça. — Estava no meu camarim me aprontando quando ele bateu na porta. Não quis entrar. Ficou parado na porta trocando o peso de um pé para o outro, sabe como é? Então, de repente, ele me perguntou se eu queria me casar. — Bess balançou a cabeça e riu mais uma vez. — Fiquei tão surpresa que perguntei a ele com quem.

— Ah, Bess, você não fez isso.

— Fiz sim. Bem, você não espera esse tipo de pergunta depois de vinte anos.

— Coitado do Link — murmurou Ryan com um sorriso. — O que ele disse?

— Ele ficou parado por um minuto, olhando para mim e mudando de cor, e então disse: "Bem, comigo, eu acho". — Ela deu uma risadinha. — Foi muito romântico.

— Achei lindo — disse-lhe Ryan. — Fico tão feliz por vocês.

— Obrigada. — Após um sorriso sensual, ela olhou para Pierce novamente. — Não conte nada para Pierce, combinado? Acho que vou deixar que Link lhe conte.

— Não direi nada — prometeu ela. — Vai se casar logo?

Bess deu um sorriso torto.

— Querida, pode acreditar que sim. Na minha opinião, já somos noivos há vinte anos, e isso é tempo suficiente. — Ela dobrou a bainha do moletom entre os dedos. — Acho que teremos que esperar apenas a exibição do especial e então daremos o salto.

— Vão continuar com Pierce?

— Claro. — Ela olhou para Ryan com ar zombeteiro. — Somos uma equipe. É claro que eu e Link vamos morar na minha casa, mas não nos separaríamos.

— Bess — começou Ryan devagar. — Tem algo que estou querendo perguntar a você. É sobre o número final. — Ela lançou um olhar preocupado para Pierce enquanto ele continuava a trabalhar com Elaine. — Ele está fazendo tanto segredo a respeito! Tudo o que disse até agora é que é uma fuga e que ele precisará de quatro minutos e dez segundos do começo ao fim. O que sabe sobre isso?

Bess deu de ombros.

— Ele está mantendo o número em segredo porque ainda não resolveu todos os problemas.

— Que tipo de problemas? — insistiu Ryan.

— Realmente não sei, só... — Ela hesitou, dividida entre as dúvidas de Ryan e sua lealdade. — Só que Link não gosta.

— Por quê? — Ryan pôs a mão sobre o braço de Bess. — É perigoso? Perigoso de verdade?

— Olha, Ryan, todas as fugas podem ser perigosas, mas ele é o melhor. — Ela observou Pierce abaixar Elaine ao chão. — Ele vai precisar de mim num minuto.

— Bess. — Ela manteve a mão firme no braço da ruiva. — Conte-me o que sabe.

— Ryan. — Bess suspirou quando olhou para ela. — Sei como se sente quanto a ele, mas não posso. O trabalho de Pierce pertence a ele.

— Não estou pedindo para você quebrar o código de ética dos mágicos — disse ela impaciente. — Seja como for, ele terá que me contar qual é o número.

— Então, ele contará.

Bess afagou sua mão, mas se afastou.

Os ensaios foram além do horário como sempre costumava acontecer. Após participar de uma reunião de produção no final da tarde, Ryan decidiu esperar por Pierce no camarim. O problema da ilusão final a tinha incomodado o dia todo. Ela não havia gostado do olhar preocupado de Bess.

O camarim de Pierce era espaçoso e suntuoso. O carpete era grosso, o sofá, macio e largo o bastante para servir de cama. Havia uma televisão com tela grande, um aparelho de som e um bar cheio de bebidas que ela sabia que Pierce nunca bebia. Na parede havia um par de litografias muito boas. Era o tipo de camarim que Swan reservava para artistas especiais. Ryan duvidava que Pierce passasse mais de trinta minutos por dia naquele espaço quando estava em Los Angeles.

Bisbilhotou a geladeira, encontrou um pouco de suco de laranja e preparou uma bebida gelada antes de afundar no sofá. Preguiçosamente, pegou um livro da mesa. Era um dos livros de Pierce, ela observou, outra obra sobre Houdini. Sem muito interesse, folheou as páginas.

Quando Pierce entrou, ele a encontrou enroscada sobre o sofá na metade do livro.

— Pesquisa?

Ryan levantou a cabeça de repente.

— Ele realmente conseguia fazer todas essas coisas? — perguntou ela. — Estou falando dessa coisa de engolir agulhas e novelo de linha e depois retirar as agulhas com a linha enfiada. Ele não fazia isso, não é?

— Fazia.

Ele tirou a camisa. Ryan franziu a testa.

— Você consegue fazer?

Ele apenas sorriu.

— Não tenho por hábito copiar ilusões. Como foi seu dia?

— Bom. Diz aqui que algumas pessoas achavam que ele tinha um bolso na pele.

Dessa vez, ele riu.

— Não acha que já teria encontrado o meu se eu tivesse um?

Ryan colocou o livro de lado e se levantou.

— Quero conversar com você.

— Tudo bem. — Pierce puxou-a para os seus braços e começou a cobrir seu rosto com beijos. — Daqui a alguns minutos porque foram três longos dias sem você.

— Foi você quem foi embora — lembrou-lhe, e deteve sua boca errante com a dela.

— Tinha alguns detalhes para resolver. Não consigo trabalhar aqui.

— É para isso que serve sua masmorra — murmurou ela e encontrou sua boca novamente.

— Exatamente. Vamos jantar esta noite. Em algum lugar com velas e cantos escuros.

— Meu apartamento tem velas e cantos escuros — disse ela junto aos seus lábios. — Podemos ficar a sós lá.

— Você tentará me seduzir de novo.

Ryan riu e se esqueceu sobre o que queria conversar com ele.

— Eu *vou* seduzi-lo de novo.

— Ficou convencida, srta. Swan. — Ele a afastou. — Nem sempre sou fácil.

— Gosto de desafios.

Ele esfregou o nariz no dela.

— Gostou da flor?

— Sim, obrigada. — Ela envolveu seu pescoço com os braços. — Impediu-me de importuná-lo.

— Eu sei. Acha difícil trabalhar comigo, não é?

— Extremamente. E se você deixar outra pessoa produzir seu próximo especial, vou sabotar todos os seu números.

— Bem, então terei que mantê-la e me proteger.

Ele gentilmente tocou seus lábios nos dela, e a onda de amor a atingiu com tamanha força, tão subitamente, que Ryan se agarrou nele.

— Pierce. — Ela queria falar rápido antes que o velho medo a impedisse. — Pierce, leia minha mente. — Com os olhos cerrados, ela enterrou o rosto no ombro dele. — Consegue ler minha mente?

Perplexo com a urgência no seu tom de voz, ele a afastou para examiná-la. Ryan arregalou os olhos e percebeu que ela estava um pouco apavorada, um pouco atordoada. E viu algo mais que fez seu coração bater de forma irregular.

— Ryan?

Pierce levou uma das mãos ao rosto dela, temendo que estivesse vendo algo que só ele precisava ver. Temendo também que fosse real.

— Estou aterrorizada — sussurrou ela. — As palavras não querem sair. Pode vê-las? — A voz dela saía em espasmos. Ela mordeu o lábio para firmá-la. — Se não puder, eu entenderei. Não precisa mudar nada.

Sim, ele as via, mas ela estava errada. Assim que foram ditas, mudaram tudo. Ele não queria que acontecesse, mas sabia, de alguma forma, que chegariam a esse ponto. Soube no momento que a viu descer os degraus até sua sala de trabalho. Ela era a mulher que mudaria tudo. Qualquer poder que Pierce tivesse, se tornaria parcialmente dela assim que ele dissesse as três palavras. Era o único encantamento de verdade num mundo de ilusão.

— Ryan. — Ele hesitou por um momento, mas sabia que não podia impedir o que já existia. — Eu amo você.

A respiração dela saiu num fluxo de alívio.

— Ah, Pierce, estava com tanto medo que não quisesse ver. — Eles se aproximaram e se agarraram. — Eu o amo tanto. Tanto. — O suspiro dela saiu trêmulo. — É bom, não é?

— É. — Ele sentiu sua pulsação equiparar-se à dele. — Sim, é bom.

— Não sabia que podia ser tão feliz. Queria lhe dizer antes — murmurou ela junto à garganta dele. — Mas tinha tanto medo! Parece tolice agora.

— Nós dois tínhamos medo. — Ele puxou-a mais para perto, mas ainda não foi suficiente. — Perdemos tempo.

— Mas você me ama — murmurou ela, querendo apenas ouvir as palavras mais uma vez.

— Sim, Ryan, eu amo você.

— Vamos para casa, Pierce. — Ela passou os lábios ao longo do seu maxilar. — Vamos para casa. Eu quero você.

— Uhum. Agora.

Ryan jogou a cabeça para trás e riu.

— Agora? Aqui?

— Aqui e agora — concordou ele, apreciando o lampejo travesso em seus olhos.

— Alguém pode entrar — disse ela e afastou-se dele.

Sem dizer nada, Pierce virou-se para a porta e girou a fechadura.

— Acho que não.

— Oh! — Ryan mordeu o lábio, tentando não sorrir. — Parece que não tenho escolha.

— Pode gritar por socorro — sugeriu ele, enquanto retirava o casaco dos ombros dela.

— Socorro — disse ela baixinho, enquanto ele desabotoava a blusa dela. — Acho que ninguém me ouviu.

— Então parece que você será atacada.

— Ah, que bom — sussurrou Ryan.

A blusa foi ao chão. Eles tocaram um no outro e riram com a pura alegria de estarem apaixonados. Beijaram-se e se abraçaram como se não houvesse amanhã. Murmuraram palavras suaves e suspiraram de prazer. Mesmo quando o ato de amor se intensificou e a paixão começou a dominar, havia uma alegria subjacente que permanecia inocente.

Ele me ama, pensou Ryan, e subiu as mãos pelas costas fortes. *Ele me pertence.* Ela respondeu aos beijos dele com fervor.

Ela me ama, pensou Pierce, sentindo o calor da pele de Ryan sob seus dedos. *Ela me pertence.* Ele buscou sua boca e a saboreou.

Eles se deram um ao outro, tomaram um do outro até que fossem mais um do que dois. Havia paixão crescente, uma ternura infinita e uma nova liberdade. Quando o ato de amor findou, eles ainda conseguiam rir, tontos por saberem que para eles era apenas o começo.

— Sabe de uma coisa? — murmurou Ryan. — Eu achava que era o produtor que seduzia o artista para o sofá.

— Não fez isso?

Pierce deixou que o cabelo dela corresse pelos dedos dele. Com uma risada, Ryan beijou-o entre os olhos.

— Você devia pensar que foi tudo ideia sua.

Ela se sentou e pegou a blusa. Pierce sentou-se atrás dela e passou a ponta do dedo pela sua espinha.

— Vai a algum lugar?

— Veja, Atkins, você vai fazer o teste de tela. — Ela reclamou quando ele mordeu seu ombro. — Não tente mudar minha opinião — disse ela antes de ficar fora do alcance dele. — Já terminei com você.

— É mesmo?

Pierce apoiou-se no cotovelo para observá-la se vestindo.

— Até chegarmos em casa. — Ryan vestiu o robe e começou a tirar as meias. Ela olhou a nudez dele. — É melhor você se vestir antes que eu mude de ideia. Terminaremos trancados no prédio pelo resto da noite.

— Eu conseguiria que escapássemos quando quiséssemos ir.

— Existem alarmes.

Ele riu.

— Ora, Ryan.

Ela disparou um olhar para ele.
— Acho que foi bom você ter decidido não ser criminoso.
— É mais simples cobrar para abrir cadeados. As pessoas sempre acharão fascinante pagar para ver que é possível. — Ele sorriu quando se sentou. — Elas não gostam se você faz de graça.
Curiosa, ela inclinou a cabeça.
— Já se deparou com um cadeado que não conseguiu abrir?
— Com tempo suficiente — disse Pierce enquanto pegava as roupas —, qualquer cadeado pode ser aberto.
— Sem ferramentas?
Ele levantou uma das sobrancelhas.
— Há ferramentas e ferramentas.
Ryan franziu as sobrancelhas para ele.
— Vou ter que procurar aquele bolso na sua pele de novo.
— Quando quiser — concordou ele de forma afável.
— Você poderia ser legal e me ensinar só uma coisa: como me livrar daquelas algemas.
— Não. — Ele balançou a cabeça enquanto vestia o jeans. — Podem ser úteis de novo.
Ryan deu de ombros como se não se importasse e começou a abotoar a blusa.
— Ah, esqueci. Queria falar com você sobre o final.
Pierce pegou uma camisa limpa do armário.
— O que tem?
— É precisamente o que quero saber — Ryan lhe disse. — O que planejou exatamente?
— É uma fuga, eu disse a você.
Ele colocou a camisa.
— Preciso de mais do que isso, Pierce. O show vai ao ar em dez dias.
— Estou me preparando.
Reconhecendo o tom de voz, Ryan foi até ele.
— Não, isso não é uma produção solo. Posso concordar com algumas de suas excentricidades em relação aos empregados. — Ela ignorou a expressão de indignação dele. — Mas tenho que saber

exatamente o que vai ser transmitido. Não pode me deixar às escuras com menos de duas semanas para a gravação.

— Vou sair de um cofre — disse ele simplesmente, e deu a Ryan seu sapato.

— Sair de um cofre. — Ela assimilou, observando-o. — Tem mais coisa, Pierce. Não sou idiota.

— Terei minhas mãos e meus pés algemados primeiro.

Ryan curvou-se para pegar o outro sapato. A relutância contínua de Pierce em dar mais detalhes lhe causava um medo real. Ela esperou um momento, para que sua voz soasse firme:

— O que mais, Pierce?

Ele não disse nada até ter abotoado a camisa.

— É um procedimento numa caixa, dentro de uma caixa, que está dentro de outra caixa. Um velho truque.

O medo aumentou.

— Três cofres? Um dentro do outro?

— Isso mesmo. Cada um maior que o último.

— Os cofres são herméticos?

— São.

A pele de Ryan esfriou.

— Não gosto disso.

Ele lhe lançou um calmo olhar de avaliação.

— Não precisa gostar, Ryan, mas não precisa se preocupar também.

Ela engoliu em seco, sabendo que era importante manter o controle.

— Tem mais, não é? Eu sei que tem, me diga.

— O último cofre tem um dispositivo de tempo — disse ele sem muita emoção. — Já fiz isso antes.

— Um dispositivo de tempo? — Um frio desceu pelas suas costas. — Não, não pode fazer isso. É pura idiotice.

— Não é nada idiotice — retrucou Pierce. — Levei dez meses para desenvolver o mecanismo e o *timing*.

— *Timing*?

— Tenho três minutos de ar.

Três minutos!, ela pensou, e se esforçou para não perder o controle.
— E quanto tempo leva a fuga?
— No momento, pouco mais de três minutos.
— Pouco mais — murmurou Ryan, entorpecida. — Pouco mais. E se algo der errado?
— Não espero que algo dê errado. Já a refiz várias vezes, Ryan.
Ela virou-se de costas e, depois, novamente para ele.
— Não vou permitir isso. Está fora de questão. Use o número da pantera para o final, mas não isso.
— Vou usar a fuga, Ryan.
A voz dele estava muito calma e decidida.
— Não! — Em pânico, ela agarrou seus braços. — Vou cortar. Está fora, Pierce. Pode usar uma de suas outras ilusões ou inventar uma nova, mas isso está fora.
— Não pode cortar. — O tom dele não se alterou enquanto ele olhava para ela. — Tenho a palavra final; leia o contrato.
Ela empalideceu e afastou-se dele.
— Que se dane, eu não ligo para o contrato. Sei o que está escrito nele. Eu o redigi!
— Então sabe que não pode cortar a fuga — disse ele baixinho.
— Não permitirei que faça isso. — Lágrimas brotaram nos olhos dela, mas ela as afastou ao piscar os olhos. — Não pode fazer isso.
— Sinto muito, Ryan.
— Encontrarei um jeito de cancelar o show. — A respiração dela estava ofegante de raiva, medo e desespero. — Posso encontrar um jeito de romper o contrato.
— Talvez. — Ele pôs as mãos sobre os ombros dela. — Mesmo assim farei a fuga, Ryan, no mês seguinte, em Nova York.
— Pierce, pelo amor de Deus! — Desesperadamente, ela agarrou-se aos braços dele. — Você pode morrer lá dentro. Não vale a pena. Por que tem que tentar algo assim?
— Porque consigo fazer. Ryan, entenda, é o meu trabalho.
— Entenda que o amo. Isso não faz diferença?
— Sabe que faz — disse ele de modo áspero. — Sabe o quanto.

— Não, não sei quanto. — Agitada, ela afastou-se dele. — Só sei que vai fazer isso não importa o quanto eu implore para não fazer. Espera que eu fique parada e assista você arriscar sua vida por aplausos e boas críticas.

— Não tem nada a ver com aplausos, nem com críticas. — O primeiro sinal de raiva disparou nos seus olhos. — Deveria me conhecer melhor.

— Não, não, não o conheço — disse ela em desespero. — Como posso entender o motivo de você insistir em fazer algo assim? Não é necessário para o show nem para sua carreira!

Ele lutou para se controlar e respondeu calmamente.

— É necessário para mim.

— Por quê? — perguntou ela, furiosa. — Por que é necessário arriscar sua vida?

— Esse é o seu ponto de vista, Ryan, não o meu. É parte do meu trabalho, parte do que sou. — Ele parou, mas não foi até ela. — Terá que concordar com isso se for me aceitar.

— Não é justo.

— Talvez não — concordou ele. — Sinto muito.

Ryan engoliu em seco, lutando contra as lágrimas.

— Onde isso nos deixa?

Ele manteve os olhos sobre ela.

— Depende de você.

— Não vou assistir. — Ela recuou até a porta. — Não vou! Não vou passar minha vida esperando o momento de você ir longe demais. Não posso. — Ela mexeu na fechadura com os dedos trêmulos. — Que se dane sua mágica! — disse ela aos prantos ao sair pela porta correndo.

Capítulo 15

Após deixar Pierce, Ryan foi direto para o escritório do pai. Pela primeira vez na vida, ela entrou sem bater. Aborrecido com a interrupção, Swan interrompeu o que estava falando ao telefone e franziu a testa. Por um momento, ele ficou olhando para ela. Nunca tinha visto Ryan assim: pálida, trêmula, com os olhos arregalados e brilhantes devido às lágrimas suprimidas.

— Ligo para você depois — murmurou ele, e desligou. Ela ainda estava parada na porta, e Swan viu-se na posição incomum de não saber o que dizer. — O que foi? — perguntou, e limpou a garganta.

Ryan apoiou-se na porta até ter certeza que suas pernas estavam suficientemente firmes para caminhar. Lutando para se controlar, foi até a mesa de seu pai.

— Preciso... Quero que cancele o especial de Atkins.

— O quê? — Ele pôs-se de pé e olhou furioso para ela. — O que é isso? Se você decidiu desmoronar por causa da pressão, posso arrumar um substituto. Ross pode assumir o controle. Droga! — Ele bateu a mão na mesa. — Devia saber que não podia colocar você no comando.

Ele já estava indo pegar o telefone.

— Por favor. — A voz tranquila de Ryan o deteve. — Estou pedindo para cancelar o contrato e o show.

Swan começou a xingá-la de novo, fez outro exame cuidadoso de seu rosto e caminhou até o bar. Sem dizer nada, colocou uma dose grande de conhaque francês no copo. A garota estava fazendo-o se sentir desajeitado.

— Tome — disse ele em tom áspero ao colocar o copo em suas mãos. — Sente-se e beba isso.

Sem ter certeza do que fazer com uma filha que parecia arrasada e impotente, ele afagou seu ombro um pouco sem jeito antes de voltar para trás da mesa.

— Agora sim. — Novamente acomodado, ele se sentia mais no controle da situação. — Diga-me do que se trata. Problema nos ensaios? — Ele deu o que esperava que fosse um sorriso de compreensão. — Você já está no ramo há bastante tempo para saber que é parte do jogo.

Ryan respirou fundo e engoliu o conhaque. Ela o deixou queimar as camadas de medo e tristeza. Sua respiração seguinte foi mais firme. Ela olhou para o pai de novo.

— Pierce está planejando uma fuga para o final.

— Sei disso — disse ele impaciente. — Vi o roteiro.

— É perigoso demais.

— Perigoso? — Swan dobrou as mãos sobre a mesa. Ele concluiu que podia lidar com isso. — Ryan, o homem é profissional. Ele sabe o que está fazendo.

Swan inclinou o pulso de leve para que pudesse ver o relógio. Podia lhe dar cerca de cinco minutos.

— Isso é diferente — insistiu ela. Para não gritar, ela segurou firme o copo. Swan nunca prestava atenção em histeria. — Até seu próprio pessoal não gosta.

— Tudo bem, o que ele está planejando?

Incapaz de proferir as palavras, Ryan deu outro gole no conhaque.

— Três cofres — começou ela. — Um dentro do outro. O último... — Ela parou por um momento para manter a voz serena. — O último tem um dispositivo de tempo. Ele só terá três minutos de ar assim que for fechado dentro do primeiro cofre. Ele acabou... acabou de me contar que o número leva pouco mais que isso.

— Três cofres — refletiu Swan, franzindo os lábios. — Muito bom.

Ryan fez um grande barulho ao colocar o copo sobre a mesa.

— Principalmente se ele ficar asfixiado. Pense no bem que vai fazer para a audiência! Eles podem lhe conceder o Emmy após a morte.

Swan arqueou as sobrancelhas de um jeito que indicava perigo.
— Calma, Ryan.
— Não vou ficar calma. — Ela pulou da cadeira. — Ele não pode ter permissão para fazer isso. Temos que cancelar o contrato.
— Não posso fazer isso.
Swan levantou os ombros para descartar a ideia.
— Não quer fazer isso — corrigiu Ryan, furiosa.
— Não quero fazer isso — concordou Swan, usando o mesmo tom de voz. — Há muita coisa em jogo.
— *Tudo* está em jogo! — gritou Ryan para ele. — Estou apaixonada por ele.
Ele tinha começado a se levantar e a gritar com ela também, mas as palavras de Ryan o tomaram de surpresa. Swan ficou olhando para ela. Havia lágrimas de desespero nos seus olhos agora. Mais uma vez ele estava sem saber o que fazer.
— Ryan. — Ele suspirou e pegou um charuto. — Sente-se.
— Não! — Ela pegou o charuto dos seus dedos e o atirou do outro lado da sala. — Não vou sentar! Estou pedindo sua ajuda. Por que não quer olhar para mim? — perguntou ela, desesperada e com raiva. — Olhe para mim de verdade!
— Estou olhando para você! — berrou ele em sinal de defesa. — E posso lhe dizer que não estou satisfeito. Agora sente e me ouça.
— Não, cansei de ouvi-lo, de tentar agradá-lo. Fiz tudo que o senhor sempre quis que eu fizesse, mas nunca foi o suficiente. Não posso ser seu filho, não posso mudar isso. — Ela cobriu o rosto com as mãos e desmoronou por completo. — Sou apenas sua filha, e preciso que me ajude.
As palavras o deixaram sem fala. As lágrimas o derrubaram. Ele não conseguia se lembrar se já a tinha visto chorar antes; certamente, ela nunca o fizera de forma tão passional. Levantando-se meio desajeitado, ele procurou o lenço.
— Tome aqui. — Enfiou o lenço nas mãos dela e imaginou o que fazer depois. — Eu sempre... — Ele limpou a garganta e olhou impotente em volta da sala. — Sempre tive orgulho de você, Ryan.

Quando ela reagiu chorando de forma mais desesperada, ele enfiou as mãos nos bolsos e ficou em silêncio.

— Não faz diferença. — A voz dela ficou abafada por trás do lenço. Ela sentiu uma onda de vergonha pelas palavras e as lágrimas. — Não faz mais diferença.

— Eu ajudaria você, se pudesse — murmurou ele por fim. — Não posso detê-lo. Mesmo se pudesse cancelar o show e lidar com os processos que a emissora e Atkins abririam contra a Swan Productions, ele faria o maldito número de qualquer forma.

Confrontada com a pura verdade, Ryan afastou-se dele.

— Deve haver alguma coisa...

Swan mudou de posição, desconfortável.

— Ele está apaixonado por você?

Ryan respirou de forma irregular e afastou as lágrimas.

— Não faz diferença como ele se sente a meu respeito. Não posso detê-lo.

— Conversarei com ele.

Cansada, ela balançou a cabeça.

— Não, não adiantaria nada. Desculpe. — Ela virou-se novamente para seu pai. — Eu não deveria ter vindo aqui assim. Não estava pensando direito. — Ela abaixou os olhos e enrolou o lenço. — Desculpe por ter feito uma cena.

— Ryan, sou seu pai.

Ela então olhou para ele, mas seus olhos estavam inexpressivos.

— Eu sei.

Ele limpou a garganta e descobriu que não sabia o que fazer com as mãos.

— Não quero que peça desculpas por vir me ver. — Ela apenas continuou a encará-lo com os olhos sem emoção. Ele esticou o braço para tentar tocá-la. — Farei o que puder para tentar convencer Atkins a não fazer o número, se é o que quer.

Ryan deu um longo suspiro antes de sentar.

— Obrigada, mas o senhor tem razão. De qualquer forma, ele fará depois. Ele mesmo me disse. Simplesmente não consigo lidar com isso.

— Quer que Ross assuma o controle?

Ela comprimiu os dedos nos olhos.

— Não — disse ela balançando a cabeça. — Vou terminar o que comecei. Esconder-me não vai mudar nada também.

— Muito bem — disse ele balançando a cabeça, satisfeito. — Agora, ah... — Ele hesitou enquanto buscava as palavras corretas. — Sobre você e o mágico. — Ele tossiu e mexeu na gravata. — Está planejando... quer dizer, eu deveria conversar com ele sobre suas intenções?

Ryan tinha achado que não conseguiria mais sorrir.

— Não, isso não será necessário. — Ela viu alívio nos olhos de Swan e se levantou. — Gostaria de ter uma folga depois das gravações.

— Claro, você merece.

— Não vou incomodá-lo mais.

Ela começou a se virar, mas ele pôs a mão em seu ombro. Ryan olhou para ele surpresa.

— Ryan... — Ele não sabia bem o que queria dizer. Em vez disso, apertou seu ombro. — Venha. Vou levá-la para jantar.

Ryan ficou olhando para ele. *Quando foi a última vez*, ela se perguntou, *que fora jantar com o pai? Um banquete de entrega de prêmios? Uma festa de negócios?*

— Jantar? — perguntou, perplexa.

— Sim. — A voz de Swan ficou aguda enquanto seus pensamentos seguiram o mesmo caminho que os dela tinham seguido. — Um homem pode levar sua filha para jantar, não pode? — Ele passou o braço em volta da cintura dela e conduziu-a até a porta. Como ela era pequena, ele percebeu, um tanto surpreso. — Vá lavar seu rosto — murmurou. — Esperarei por você.

Às dez horas da manhã seguinte, Swan terminou de ler o contrato de Atkins pela segunda vez. *Um negócio complicado*, ele pensou. Não seria fácil romper. Mas ele não tinha intenção de rompê-lo. Isso não apenas seria ruim para os negócios, mas também um gesto inútil. Ele próprio teria que lidar com Atkins. Quando a campainha tocou, virou o contrato para baixo.

— O sr. Atkins está aqui, sr. Swan.

— Mande-o entrar.

Swan se levantou quando Pierce entrou e, como tinha feito da primeira vez, cruzou a sala com a mão estendida.

— Pierce — disse ele de forma jovial. — Obrigado por ter vindo.

— Sr. Swan.

— Bennett, por favor — disse ele enquanto levava Pierce até uma cadeira.

Swan sentou-se na cadeira em frente a ele e recostou-se.

— Bem, está satisfeito com o andamento de tudo?

Pierce levantou uma das sobrancelhas.

— Estou.

Swan pegou um charuto. *O homem é frio demais*, ele pensou, de má vontade. *Não revela nada.* Swan decidiu abordar o assunto de outro modo.

— Coogar me disse que os ensaios estão indo muito bem. Ele fica preocupado. — Swan sorriu. — É um tremendo supersticioso, gosta de muita confusão antes de uma gravação. Ele me disse que o senhor poderia dirigir o show sozinho.

— Ele é um bom diretor — disse Pierce tranquilamente, observando Swan acender seu charuto.

— O melhor — concordou Swan de modo cordial. — Estamos um pouco preocupados com os seus planos para o final.

— Hum?

— Isso é televisão, sabe como é — lembrou-lhe Swan, dando um grande sorriso. — Quatro minutos e dez segundos é um pouco longo para um número.

— É necessário. — Pierce deixou as mãos repousarem sobre os braços da cadeira. — Tenho certeza de que Ryan disse a você.

Swan viu o olhar direto.

— Sim, Ryan me disse. Ela veio aqui ontem à noite. Estava agitada.

Os dedos de Pierce ficaram um pouco tensos, mas ele manteve o olhar firme.

— Sei. Sinto muito.

— Veja bem, Pierce, somos homens razoáveis. — Swan inclinou-se na sua direção, remexendo o charuto. — Esse seu número parece uma beleza. Essa coisa do dispositivo de tempo é uma grande inspiração, mas com uma pequena modificação...

— Não modifico minhas ilusões.

A recusa fria fez Swan vociferar.

— Nenhum contrato é talhado em pedra — disse ele em tom de ameaça.

— Pode tentar rompê-lo — concordou Pierce. — Causará muito mais problemas para o senhor do que para mim. E no final não mudará nada.

— Droga, homem, a garota está fora de si! — Batendo com o punho na coxa, Swan recostou-se de novo na cadeira. — Ela diz que está apaixonada por você.

— Ela está apaixonada por mim — respondeu Pierce baixinho e ignorou a contração no estômago.

— O que pretende fazer a respeito?

— Está me perguntando como pai ou como a Swan Productions?

Swan franziu a testa e murmurou por um momento.

— Como pai — decidiu.

— Estou apaixonado por Ryan. — Pierce olhou para Swan com calma. — Se ela estiver disposta, passarei minha vida com ela.

— E se ela não estiver? — retrucou Swan.

Os olhos de Pierce escureceram, alguma coisa estremeceu dentro dele, mas ele não disse nada. Isso era algo com o qual teria que lidar. Na breve passagem de tempo, Swan viu o que queria saber. Ele forçou sua vantagem.

— Uma mulher apaixonada nem sempre é razoável — disse ele com um sorriso amistoso. — Um homem tem que fazer certos ajustes.

— Há muito pouca coisa que eu não faria por Ryan — respondeu Pierce. — Mas não é possível mudar o que sou.

— Estamos falando de um número — retrucou Swan, perdendo a paciência.

— Não, estamos falando sobre meu modo de vida. Poderia deixar essa fuga de lado — continuou ele, enquanto Swan franzia as sobrancelhas para ele —, mas haveria outra, depois outra. Se Ryan não consegue aceitar essa agora, como poderá aceitar outra depois?

— Você a perderá — alertou Swan.

Pierce se levantou diante disso, incapaz de continuar sentado.

— Talvez nunca a tenha tido. — Ele podia suportar a dor, disse a si mesmo. Sabia como lidar com ela. Sua voz estava serena quando continuou: — Ryan tem que fazer suas próprias escolhas. Tenho que aceitá-las.

Swan pôs-se de pé e olhou para ele furioso.

— Não me parece um homem apaixonado.

Pierce lançou-lhe um olhar longo e frio que fez Swan engolir em seco.

— Numa vida de ilusões — disse ele com a voz áspera —, ela é a única coisa real.

Ele se virou e saiu da sala.

Capítulo 16

Eles gravariam às seis horas da tarde do horário da Costa Oeste. Até as quatro da tarde, Ryan tinha lidado com tudo, desde um diretor de palco furioso até um cabeleireiro nervoso. Não havia nada como uma transmissão ao vivo para deixar até os veteranos mais experientes um tanto loucos. Como foi dito para ela por um ajudante fatalista: "O que puder dar errado, dará". Não era o que Ryan queria ouvir.

Mas os problemas, as exigências e o toque de insanidade a impediam de arrastar-se até um canto conveniente para chorar. Precisavam dela, e não tinha escolha a não ser mostrar-se segura. Se sua carreira era tudo que ia lhe restar, Ryan sabia que precisava dedicar tudo de si.

Havia evitado Pierce por dez dias, mantendo uma distância emocional. Eles não tinham como deixar de se encontrarem, de tempos em tempos, mas apenas como produtora e astro. Ele não fez nenhuma tentativa de derrubar o muro entre os dois.

Ryan sofria. Às vezes, ainda a surpreendia o quanto sofria. Mesmo assim, aceitava de bom grado. O sofrimento sufocava o medo. Os três cofres tinham sido entregues. Quando ela forçou-se a examiná-los, viu que o menor não tinha mais de noventa centímetros de altura e sessenta centímetros de largura. Pensar em Pierce se dobrando na pequena caixa preta fez seu estômago revirar.

Ela ficou parada examinando o cofre maior com sua porta espessa e seu dispositivo de tempo complexo quando sentiu que ele estava atrás dela. Quando se virou, olharam um para o outro em silêncio. Ryan sentiu o desejo, o amor, o desespero antes de afastar-se dele. Nem por meio de palavras nem de gestos ele pediu que ela ficasse.

Desse ponto em diante, Ryan manteve-se longe dos cofres, concentrando-se, em vez disso, em verificar e tornar a verificar todos os mínimos detalhes da produção.

O figurino tinha de ser supervisionado. Um refletor quebrado precisou ser consertado no último momento. Um técnico doente teve que ser substituído. E o *timing*, o mais crucial dos elementos, teve que ser resolvido até o último segundo.

Parecia não haver fim para os problemas de última hora, e ela só poderia ficar grata quando aparecia um novo. Não houve tempo para pensar, até o momento em que a plateia do estúdio começou a entrar.

Com o estômago cheio de nós, o rosto calmo, Ryan esperou na cabine de controle enquanto o diretor de estúdio fazia a contagem regressiva final.

Começou.

Pierce estava no palco, frio e competente. O set estava perfeito: limpo, desobstruído e levemente misterioso, com uma iluminação moderada. Todo de preto, ele era um bruxo do século XX, sem precisar de varas mágicas ou chapéus pontiagudos.

A água fluía entre suas palmas, o fogo disparava da ponta dos seus dedos. Ryan observava enquanto ele equilibrava Bess na ponta de um sabre, fazendo-a girar como um pião, retirando a espada em seguida com um floreio até que ela girasse sobre absolutamente nada.

Elaine flutuava sobre as chamas das tochas enquanto a plateia prendia a respiração. Pierce fechou-a numa bolha de vidro transparente, coberta com seda vermelha, e fez com que o objeto flutuasse três metros acima do palco. Oscilou levemente ao som da música de Link. Quando Pierce a trouxe para baixo e retirou a seda, Elaine era um cisne branco.

Ele variou suas ilusões — arrojadas, espetaculares e simplesmente belas. Controlava os elementos, desafiava a natureza e deixava todo mundo desnorteado.

— Está tudo saindo como um sonho. — Ryan ouviu alguém dizer entusiasmado. — Vamos faturar alguns Emmys. Trinta segundos, câmera dois. Meu Deus, esse cara é realmente bom!

Ryan saiu da cabine de controle e foi para os bastidores. Disse a si mesma que estava com frio porque o aparelho de ar-condicionado estava ligado na temperatura máxima. Estaria mais quente perto do palco. As luzes lá tinham um brilho quente, mas a pele dela permanecia fria. Ela assistia enquanto ele executava uma variação da ilusão de teletransporte que tinha usado em Las Vegas.

Pierce não olhou na sua direção, mas Ryan sentiu que ele sabia que ela estava lá. Tinha de saber, porque os seus pensamentos estavam concentrados nele, inteiramente.

— Está indo bem, não está?

Ryan levantou os olhos e viu Link a seu lado.

— Sim, perfeito até agora.

— Gostei do cisne. É bonito.

— É, sim.

— Talvez devesse ir ao camarim de Bess e se sentar — sugeriu ele, desejando que não tivesse uma aparência tão pálida e fria. — Poderia assistir na televisão lá dentro.

— Não. Não, vou ficar.

Pierce tinha um tigre sobre o palco, um felino esguio andando de um lado para o outro numa jaula dourada. Ele a cobriu com a mesma seda que usara na bolha. Quando a removeu, Elaine estava enjaulada e o tigre havia desaparecido. Sabendo que era a última ilusão antes da fuga final, Ryan respirou fundo.

— Link.

Ela pegou sua mão, precisando de algo para se agarrar.

— Ele vai se sair bem, Ryan. — Ele deu um apertão nos dedos dela. — Pierce é o melhor.

O cofre menor foi trazido, sua porta escancarada enquanto era girado várias vezes para mostrar sua solidez. Ryan engoliu o gosto metálico do medo. Não ouviu a explicação de Pierce para a plateia enquanto tinha as mãos e os pés algemados por um capitão do Departamento de Polícia de Los Angeles. Os olhos dela estavam grudados no rosto dele. Sabia que a parte mais profunda da mente dele já estava trancada dentro do cofre. Já estava trabalhando em sua fuga. Era a isso que se agarrava de modo tão firme quanto à mão de Link.

Pierce mal coube no primeiro cofre. Seus ombros roçaram as laterais.

Ele não conseguirá se mover lá dentro, pensou ela com uma punhalada de pânico. Quando a porta se fechou, ela deu um passo na direção do palco. Link segurou-a pelos ombros.

— Não pode fazer isso, Ryan.

— Mas, pelo amor de Deus, ele não pode se mover. Não pode respirar!

Ela observou com horror crescente quando o segundo cofre foi trazido.

— Ele já se livrou das algemas — disse Link para acalmá-la, embora não tenha gostado de ver o cofre que mantinha Pierce suspenso e trancado dentro do segundo. — Ele deve estar abrindo a primeira porta agora — disse ele para confortar tanto a si mesmo quanto a Ryan. — Ele trabalha rápido. Você sabe. Já viu.

— Ah, não.

O terceiro cofre fez o medo ficar quase fora do seu controle. Ela sentiu uma grande tontura e teria perdido o equilíbrio se as mãos de Link não a tivessem mantido ereta. O cofre maior engoliu os dois outros e ele, lá dentro. Foi fechado e aferrolhado. O dispositivo de tempo foi ajustado para meia-noite. Não havia como entrar pelo lado de fora agora.

— Quanto tempo? — murmurou ela. Os olhos dela estavam grudados no cofre e no dispositivo de tempo reluzente e complicado. — Quanto tempo faz desde que entrou?

— Dois minutos e meio. — Link sentiu uma gota de suor correr pelas suas costas. — Ele tem bastante tempo.

Link sabia que os cofres se encaixavam tão próximos que as portas só podiam ser abertas o suficiente para uma criança passar engatinhando. Nunca entendeu como Pierce conseguia torcer e dobrar seu corpo como fazia. Mas ele o tinha visto fazer isso. Diferentemente de

Ryan, Link tinha visto Pierce ensaiar a fuga inúmeras vezes. O suor continuava a rolar pelas suas costas.

O ar estava rarefeito. Ryan mal conseguia inspirá-lo. *Era como ele estava dentro do cofre*, pensou entorpecida. *Sem ar, sem luz.*

— Tempo, Link!

Ela tremia como vara verde agora. O grandalhão parou de rezar para responder.

— Dois e cinquenta. Está quase terminando. Ele está no último agora.

Apertando as mãos, Ryan começou a contar os segundos na cabeça. O zumbido nos seus ouvidos fez com que ela mordesse o lábio. Nunca tinha desmaiado na vida, mas sabia que corria grande risco de fazê-lo agora. Quando sua visão embaçou, ela comprimiu os olhos para desanuviá-la. Mas não conseguiu respirar. Pierce estava sem ar agora, e ela também. Num momento de histeria, pensou que sufocaria parada ali como certamente aconteceria com Pierce dentro dos três cofres.

Então ela viu a porta se abrir, ouviu o suspiro unificado de alívio da plateia antes da explosão de aplausos. Ele estava de pé no palco, úmido de suor e respirando.

Ryan desfaleceu junto ao corpo de Link quando a escuridão encobriu os refletores. Ela perdeu a consciência por poucos segundos, voltando a si quando ouviu Link chamá-la.

— Ryan, Ryan, está tudo bem. Ele saiu. Ele está bem.

Escorando-se em Link, ela balançou a cabeça, depois se virou e se afastou.

No momento em que as câmeras foram desligadas, Pierce desceu do palco.

— Onde está Ryan? — perguntou ele a Link.

— Ela saiu. — Ele viu um fio de suor descer pelo rosto de Pierce. — Estava muito transtornada. — Ele ofereceu a Pierce a toalha que estava segurando para ele. — Acho que talvez tenha desmaiado por um minuto.

Pierce não enxugou o suor, não sorriu como sempre fazia quando completava uma fuga.

— Aonde ela foi?
— Não sei. Acabou de sair.
Sem dizer uma palavra, Pierce foi à sua procura.

Ryan estava deitada sob o sol forte. Havia uma coceira no centro das suas costas, mas ela não se mexeu para coçá-la. Ficou parada e deixou o calor entranhar em sua pele.

Tinha passado uma semana a bordo do iate do pai ao largo da costa de St. Croix. Swan permitiu que fosse sozinha, como pediu, sem fazer perguntas quando ela chegou na sua casa e lhe pediu um favor. Tinha feito os preparativos para ela, e ele mesmo a levara ao aeroporto. Ryan pensou depois que tinha sido a primeira vez que ele não a colocara numa limusine com um motorista e a despachado para pegar um avião sozinha.

Já havia vários dias que ela estava deitada ao sol, nadando e sem pensar em nada. Nem mesmo havia voltado ao seu apartamento após a gravação. Tinha chegado a St. Croix com a roupa do corpo. O que precisava, podia ser comprado na ilha. Não falava com ninguém, a não ser com a tripulação, e não enviou mensagens de volta aos Estados Unidos. Por uma semana, simplesmente sumiu da face da Terra.

Ryan virou-se de costas e colocou os óculos de sol. Ela sabia que, se não se forçasse a pensar, a resposta que precisava lhe viria no devido tempo. Quando viesse, seria a correta, e agiria com base nela. Até então, esperou.

Na sua sala de trabalho, Pierce embaralhou e cortou as cartas de tarô. Precisava relaxar. A tensão o estava corroendo.

Após a gravação, ele tinha procurado Ryan no prédio todo. Como ela não estava em nenhum lugar, ele quebrou uma de suas regras principais e abriu a fechadura do seu apartamento. Esperou-a até a manhã seguinte. Ela não voltou para casa. Isso o deixou enlouquecido, furioso. E deixou a fúria tomar conta dele, impedindo a dor de entrar. Raiva, a raiva indisciplinada que ele nunca se permitira, veio com toda a força. Link suportou o impacto do seu mau humor em silêncio.

Pierce levou dias para retomar o controle. Ryan se foi, e ele tinha que aceitar. Seu conjunto de regras o deixava sem escolha. Mesmo se soubesse onde encontrá-la, não poderia trazê-la de volta.

Na semana que passou ele não tinha trabalhado. Não teve forças. Sempre que tentava se concentrar, via apenas Ryan — sentia-a, saboreava-a. Era tudo que ele conseguia fazer aparecer. Tinha que achar seu caminho de volta. Sabia que se não encontrasse seu ritmo novamente logo estaria acabado.

Estava sozinho agora, já que Link e Bess estavam passando a lua de mel nas montanhas. Quando tinha recobrado um pouco do seu controle, insistiu para que eles realizassem seus planos. Mandou-os embora, esforçando-se para dar-lhes a felicidade enquanto em sua própria vida avultava-se um grande vazio.

Era hora de voltar para a única coisa que havia deixado. E mesmo isso trazia um pouco de medo. Ele não tinha mais certeza de que possuía qualquer mágica.

Colocou as cartas de lado e levantou-se para preparar uma de suas ilusões mais complicadas. Não se testaria com nada simples. Mesmo quando começou a treinar sua concentração e flexionar as mãos, levantava os olhos e a via.

Pierce fitava a imagem. Ela nunca tinha lhe aparecido tão nitidamente assim. Podia até ouvir seus passos quando ela atravessava a sala até o palco. Seu perfume chegou até ele primeiro e fez o seu sangue zunir. Ele se perguntou, de modo quase imparcial, se estava enlouquecendo.

— Olá, Pierce.

Ryan o viu pular de repente como se ela o tivesse acordado de um sonho.

— Ryan?

O nome dela nos lábios dele saiu suave, inquisitivo.

— A porta da frente não estava trancada, então entrei. Espero que não se importe.

Ele continuou a olhar para ela e não disse nada. Ryan subiu os degraus do palco.

— Interrompi seu trabalho.

Ele seguiu seu olhar, olhou para o frasco de vidro nas mãos e os cubos coloridos sobre a mesa.

— Trabalho? Não... Tudo bem.

Ele largou o frasco. Não teria conseguido fazer o truque mais básico.

— Não vai levar muito tempo — disse-lhe Ryan com um sorriso. Ela nunca o havia visto desconcertado e tinha quase certeza de que nunca o veria assim novamente. — Há um novo contrato que precisamos discutir.

— Contrato? — repetiu ele, incapaz de tirar os olhos de cima dela.

— Sim, é por isso que vim.

— Entendo. — Ele queria tocá-la, mas manteve as mãos sobre a mesa. Recusava-se a tocar o que não mais lhe pertencia. — Você está com uma boa aparência — ele conseguiu dizer, e ofereceu-lhe uma cadeira. — Onde esteve?

As palavras saíram antes que ele pudesse impedir; foram quase uma acusação. Ryan apenas sorriu mais uma vez.

— Estive fora — disse ela apenas, e deu um passo à frente. — Pensou em mim?

Foi ele que recuou.

— Sim, pensei em você.

— Bastante?

A palavra saiu baixa enquanto ela caminhava na sua direção.

— Não faça isso, Ryan.

A voz dele tinha um tom defensivo e agudo enquanto ele caminhava para trás.

— Pensei bastante em você — continuou ela, como se ele não tivesse falado. — Constantemente, embora tentasse evitar. Você trabalha com poções de amor, Pierce? Foi o que fez comigo? — Ela deu outro passo na sua direção. — Fiz muito esforço para odiá-lo, e mais ainda para esquecê-lo. Sua mágica é forte demais.

O perfume dela inebriou os sentidos dele.

— Ryan, sou só um homem, e você é minha fraqueza. Não faça isso. — Pierce balançou a cabeça e apelou para o que restava de seu controle. — Tenho trabalho a fazer.

Ryan deu uma olhada na mesa e brincou com um dos cubos coloridos.

— Terá que esperar. Sabe quantas horas há numa semana? — perguntou, e sorriu para ele.

— Não. Pare com isso, Ryan.

O sangue estava invadindo a cabeça dele. O desejo estava ficando incontrolável.

— Cento e sessenta e oito — murmurou ela. — Muito tempo para compensar.

— Se eu tocá-la, não deixarei que se vá novamente.

— E se eu tocá-lo?

Ela colocou a mão no seu peito.

— Não faça isso — apressou-se ele em alertar. — Deveria ir embora enquanto ainda pode.

— Vai fazer aquela fuga de novo, não vai?

— Vou. Vou sim. — As pontas dos dedos dele estavam formigando, exigindo que ele a tocasse. — Ryan, pelo amor de Deus, vá embora.

— Você vai fazer de novo — prosseguiu ela. — E outras, provavelmente mais perigosas, ou pelo menos mais apavorantes, porque você é assim. Não foi o que me disse?

— Ryan...

— Foi por quem me apaixonei — disse ela com calma. — Não sei por que achei que poderia ou deveria tentar mudar isso. Eu disse uma vez que você era exatamente o que eu queria. Era verdade. Mas acho que tive que aprender o que isso significava. Ainda me quer, Pierce?

Ele não respondeu, mas ela viu seus olhos escurecerem, sentiu seu coração acelerar sob sua mão.

— Posso ir embora e ter uma vida muito calma e tranquila. — Ryan deu o último passo até ele. — É o que quer para mim? Eu o magoei tanto que me deseja uma vida de tédio insuportável? Por favor, Pierce — murmurou ela—, não vai me perdoar?

— Não há nada a perdoar. — Ele estava se afogando nos olhos dela por mais que se esforçasse para não fazê-lo. — Ryan, pelo amor de Deus! — Desesperado, ele retirou a mão dela do seu peito. — Não consegue ver o que está fazendo comigo?

— Sim, e estou muito feliz. Tive medo de que realmente conseguisse me esquecer. — Ela deu um pequeno suspiro de alívio. — Vou ficar, Pierce. Não há nada que possa fazer a respeito. — Ela envolveu seu pescoço com os braços e sua boca estava a milímetros da dele. — Diga-me mais uma vez que quer que eu vá.

— Não. — Ele puxou-a para junto de si. — Não posso. — A boca dele estava devorando a dela. A força fluiu para dentro de seu corpo novamente, quente e dolorida. Ele a comprimiu mais e sentiu sua boca reagir à selvageria da dele. — Muito tarde — murmurou ele. — Tarde demais. — A excitação estava queimando dentro dele. Ele não podia abraçá-la forte o bastante. — Não conseguirei deixar a porta aberta para você agora, Ryan. Compreende?

— Compreendo. Sim, compreendo. — Ela jogou a cabeça para trás, desejando ver seus olhos. — Mas estará fechada para você também. Vou providenciar para que você não consiga arrombar essa fechadura.

— Nada de fuga, Ryan. Para nenhum de nós. — E a boca dele estava sobre a dela mais uma vez, quente, desesperada. Ele sentiu-a ceder junto a ele enquanto a comprimia, mas as mãos de Ryan estavam fortes e seguras sobre o seu corpo. — Eu amo você, Ryan — ele lhe disse mais uma vez, enquanto vagava pelo seu rosto e seu pescoço, enchendo-os de beijos. — Eu a amo. Perdi tudo quando você me deixou.

— Não o deixarei novamente. — Ela tomou seu rosto nas mãos para deter seus lábios errantes. — Errei em lhe pedir o que pedi. Errei em fugir. Não confiei em você o bastante.

— E agora?

— Eu amo você, Pierce, exatamente como é.

Ele puxou-a para perto mais uma vez e pressionou a boca no pescoço dela.

— Linda Ryan, tão pequena, tão suave. Meu Deus, como eu quero você. Venha para cima. Venha para a cama. Deixe-me amá-la de forma apropriada.

A pulsação dela martelou diante das palavras que ele pronunciou em tom baixo e irregular junto ao seu pescoço. Ryan respirou fundo e depois, colocando as mãos nos ombros dele, se afastou.

— Tem a questão do contrato.

— Pro inferno com os contratos — murmurou ele, e tentou puxá-la de volta.

— Ah, não. — Ryan afastou-se dele. — Quero isso resolvido.

— Já assinei seu contrato — ele lembrou-lhe impaciente. — Venha aqui.

— Este é novo — declarou ela, ignorando-o. — Um período vitalício exclusivo.

Ele franziu as sobrancelhas.

— Ryan, não vou me atrelar à Swan Productions pelo resto da minha vida.

— Swan Productions, não — respondeu ela. — Ryan Swan.

A resposta irritada na ponta da sua língua não se materializou. Ela viu seus olhos mudarem, ficarem intensos.

— Que tipo de contrato?

— Individual, com cláusula de exclusividade e período vitalício.

Ryan engoliu em seco, perdendo um pouco da confiança que a tinha levado até esse ponto.

— Prossiga.

— É para início imediato, com a condição de ser seguido de uma cerimônia na primeira ocasião oportuna. — Ela enlaçou os dedos. — Com a probabilidade de filhos. — Ela viu a testa de Pierce franzir, mas ele não disse nada. — Cujo número é negociável.

— Entendo — disse ele após um momento. — Existe uma cláusula de punição?

— Sim. Se tentar descumprir os termos, tenho a permissão de matá-lo.

— Muito razoável. Seu contrato é tentador, srta. Swan. Quais são meus benefícios?

— Eu.

— Onde assino? — perguntou ele, tomando-a nos braços novamente.

— Bem aqui.

Ela deu um suspiro enquanto levantava a boca. O beijo foi suave, promissor. Ryan soltou um gemido e se aproximou mais.

— Essa cerimônia, srta. Swan. — Pierce mordiscou seu lábio enquanto as mãos dele começaram a vagar. — O que considera a primeira ocasião oportuna?

— Amanhã de tarde. — Ela riu, e mais uma vez saiu de seus braços. — Não acha que vou lhe dar tempo de encontrar uma janela de fuga, acha?

— Vejo que encontrei alguém à altura.

— Com certeza — concordou ela, balançando a cabeça de modo afirmativo. — Tenho alguns truques na manga.

Ela pegou as cartas de tarô e surpreendeu Pierce ao abri-las em leque com certo êxito. Tinha praticado por vários meses.

— Muito bom. — Ele sorriu e se aproximou dela. — Estou impressionado.

— Não viu nada ainda — prometeu Ryan. — Escolha uma carta — disse-lhe ela, com um sorriso nos olhos. — Qualquer carta.

PUBLISHER
Omar de Souza

EDITORA
Juliana Nóvoa

ASSISTENTE EDITORIAL
Tábata Mendes

COPIDESQUE
Flávia de Lavor

REVISÃO
Taísa Fonseca
Alessandra Libonatti

DIAGRAMAÇÃO
Abreu's System

CAPA
Coralina Estúdio

Este livro foi impresso em São Paulo, em 2017,
pela Assahi, para a HarperCollins Brasil.
A fonte usada no miolo é Warnock Pro, corpo 11,5/15,15.
O papel do miolo é Chambril Avena 80g/m², e o da capa é cartão 250g/m².